D0297811

De 1001 geheimen van
Eva Zout

Ander werk van Judith Eiselin bij Querido

De ogen van Jesleia (2004)
Het raadsel van groep 6 (2007)

Judith Eiselin
De 1001 geheimen van Eva Zout

Amsterdam Antwerpen
Em. Querido's Uitgeverij BV
2007

www.queridokind.nl

Eerste druk, 2006; tweede, derde en vierde druk, 2007

Omslagontwerp Suzanne Hertogs
Foto omslag Zefa Images

ISBN 978 90 451 0298 6 / NUR 283

Voor mijn moeder (en haar moeder)

Alles aan mij is ik,
en nog eens ik.

Toon Tellegen

Een – *adin*

Wat wil jij later worden? Conducteur? Dokter of post-bode? Filmster? Ik word spion. Dat is geheim. Ik vertel het aan niemand, zelfs niet aan mijn beste vriendin. Alleen mijn kat weet ervan.

Een goede spion kan zwijgen. Hij beleeft avonturen waar niemand van weet, die niemand ooit mag horen. Hij heeft een telefoon in zijn schoen en een fototoestel in zijn knoop. Hij draagt een pruik en een wapen. Ik heb geen mobieltje, geen eigen camera en al helemaal geen pistool. Ik ben een meisje, een meisje met rood haar. Toch oefen ik elke dag.

Ik spied en ik speur, ik luister af en sluip rond. Ik begluur mensen als ze denken dat niemand op ze let. Ik zie, ik zie, wat jij niet ziet... De wereld barst van de geheimen. Het stikt ervan, echt waar.

Maar spioneren is wel moeilijk. Voor je het weet zit je op een dwaalspoor. Voor je het weet word je verrast. Mensen zijn vaak oneerlijk, zelfs mensen die je goed kent. Ze lachen als er niets te lachen valt, als ze balen of verdrietig zijn...

De moeilijkste geheimen zijn misschien wel vlak in de buurt verstopt. Hoe meer je aan iemand gewend bent, hoe minder goed je oplet.

Twee – *dva*

Mijn naam is Zout, Eva Zout. Zo noemen de kinderen van mijn school me tenminste. Omdat mijn vriendin Eva Peper heet. Peper is haar echte achternaam. De mijne is eigenlijk Benschop. Peper heeft blond haar, het lijkt wel van goud, echt waar.

Buiten is het herfst en we zijn in haar kamer, zij en ik dus, Eva en Eva, Peper en Zout. Het is weer woensdag en de zon schijnt, we komen net uit school en liggen op haar bed als twee slome poezen. Ik kijk vanuit mijn ooghoeken naar mijn vriendin. Ze heeft een gameboy in haar handen, tuurt fronsend naar het schermpje, drukt driftig op de toetsjes.

'Peper,' zeg ik. 'Dit is het vertelseltje van Erremenelseltje. Zal ik het vertellen of zal ik het doen?'

'Huh wat?' mompelt Peper.

'Dit is het vertelseltje van Erremenelseltje. Zal ik het vertellen of zal ik het doen?'

Nu draait ze haar gezicht naar me toe.

'Doen.'

'Het is geen doen, het is het vertelseltje van Erremenelseltje. Zal ik het vertellen of zal ik het doen?'

'Vertellen.'

'Het is geen vertellen, het is het vertelseltje van Erremenelseltje. Zal ik het vertellen of zal ik het doen?'

Peper keilt de gameboy de kamer in. Ze slaat me

met een kussen, springt op en loopt naar het raam. Ik hijs me overeind en ga naast haar staan.

'Twee Eva's in het raamkozijn, pom-pom-pom, achter het gordijn,' zing ik. 'Doen en vertellen, vertellen en doen, geef me een...'

Peper geeft me een peut met haar elleboog.

'Doe normaal. Doe nou eindelijk, voor een keertje, eens even normaal, Zout.'

Ik zing verder. Ik moet normaal doen maar ik doe vaak raar, per ongeluk of expres, ik kan het niet helpen. Mijn kop zit vol spoken zegt mijn moeder. Ik ben niet goed in sport. Ik kan zowat het beste leren van iedereen uit onze groep op school, dat wel – maar wat heb je daaraan? Peper is het mooiste meisje van de klas. Misschien wel van de hele school. Ze is ook een van de besten bij gymnastiek. Ze lacht nog steeds niet.

'Kap nou even met dat zingen,' zegt ze. 'Zullen we naar de stad gaan? Bh's kijken, kun je lachen. Of het park in? Je had het toch over een hol, ergens in de struiken?'

Ik knik en druk mijn voorhoofd tegen het glas. Aan de overkant van de straat is het park. De bomen staan zich uit te sloven, in oranje, bruin en paars. Het gras op het heuveltje is geel geworden. In het midden zit een kale plek. Het is net het hoofd van mijn vader, alleen hippen hier zwarte vogels overheen.

'Waarom lach je nou weer?' Peper klinkt nu echt ongeduldig. 'Gaan we nu eindelijk iets doen of hoe zit het?'

Mijn vriendin wil altijd iets doen, daar ben ik aan gewend. Ik ken Peper al zowat mijn hele leven. In groep drie kwam ze bij mij op school. Het was maandagochtend, we hadden net kringgesprek, dat weet ik nog goed. Niemand zei veel, want we wisten dat ze kwam, het Nieuwe Meisje.

Eindelijk ging de deur van de klas open, en daar was ze dan. Als een cowboy stond ze op de drempel. Haar blauwe ogen flitsten langs de rij en bleven steken bij mij, er zat nog niemand naast me. Ze liep de kring binnen en plofte op de lege stoel, zonder op de juffrouw te letten, juffrouw Veldkamp was dat, die zenuwachtige dingen zei. Sindsdien zijn we Eva en Eva, Peper en Zout. Ik volgde haar naar groep vier, vijf, zes en zeven. En naar groep acht. Daar zitten we nu, bij meester Prikov. Ik ken Peper goed. Beter dan wie ook.

'Daar ergens was het, dat hol,' zeg ik en wijs op de struiken waarvan je door Pepers slaapkamerraam net een stukje kunt zien. Doodnormale struiken lijken het. Ze trekken zich niets van de herfst aan, want ze trekken niets uit, van hun diepgroene prikblaadjes. Ik vind dat mooi. Het is fijn dat er zulke dingen bestaan, dingen die nooit veranderen.

'Kom je nou nog?'

Peper heeft ineens haar schoenen al aan. Met bol geblazen wangen staat ze in de deuropening, trommelt met haar vingers op de deurpost, tapt met de punt van haar schoen op de grond. Ik haast me mijn schoenen aan te trekken, het zijn precies dezelfde als aan haar voeten, en roffel achter haar aan de lange trap af. Het kistje dat ik van thuis meenam staat op ons te wachten in de gang. Er zitten spekkies in, een blikje fristi, een beker, een schrift, een pen, een naald. We nemen ook een oude deken mee.

In het park holt Peper in een rechte lijn door naar de struiken; ik pruttel achter haar aan. Het lijkt me niet goed zo direct op de struiken af te stevenen. Het is beter eerst wat te slenteren, rond de vijver, langs het bankje... Ik roep naar Peper, maar ze hoort me niet.

'Niemand kijkt toch,' zegt ze als ik naar adem happend voor haar sta, 'stel je niet aan Zout, doe niet zo gek.'

Drie – *tri*

Onder de struiken is een hol. Ik heb het eergisteren ontdekt.

Ik was na school de meester aan het schaduwen, zoals ik dat wel vaker doe. Meneer Prikov liep voor me uit over de stoep, de tas met schriften onder zijn arm geklemd. Ik dribbelde van portiek naar portiek achter hem aan, dook weg achter een scooter die op de stoep geparkeerd stond, verschool me achter een plantenbak, keek af en toe voorzichtig om een hoek...

De meester had niets in de gaten. Hij humde een liedje en liep intussen stevig door. Zijn bruine haar blonk in de zon. Eenmaal in het park aangekomen zong hij hardop. Zijn lied kwam van ver. Hij zong in het Russisch, de taal van zijn familie, het klonk droevig en mooi. Bij een bankje bleef hij plotseling staan. Hij keek even naar de lucht, legde zijn tas neer en ging zitten. Ik glipte achter hem langs ongezien de struiken in en kwam tot mijn verbazing terecht in een hol, een prima schuilhut.

'Hier,' wijs ik, 'hier ergens was het, achter die bank.'

Peper knikt en kruipt meteen, zonder op of om te kijken, de struiken in. Ik blijf achter op het pad. Ik kijk naar links. Ik kijk naar rechts. Er komt niemand aan. Ik ga Peper achterna. Een tak schramt mijn wang,

mijn haar blijft haken, de deken en de kist glijden zowat uit mijn handen, maar dan ben ik er. Onder de
struiken is een kaal stuk grond waar we kunnen zitten zonder dat iemand ons kan zien. De takken van
de struiken vormen het dak en de muren, muren met
gaatjes om doorheen te loeren.

'Goed, Zout!'

Peper kijkt tevreden rond. Ik spreid de geheime deken uit.

'Begraaf je de schatkist ook meteen even?'

Ze trekt een lepel uit haar jaszak.

'Ja,' zeg ik, 'straks. Laten we eerst zweren.'

'Zweren?'

Ik slik. Soms vindt Peper dingen die ik verzin stom.

'Zweren op het hol,' zeg ik dan. 'Op het Peper- en
Zoutstelletje.'

Peper grinnikt. Ze heeft een tuffend lachje dat klinkt
als een treintje uit een kleinekinderfilm. Ik maak haar
graag aan het lachen, maar nu meen ik het.

'Ik meen het,' zeg ik. 'We moeten zweren dat niemand anders hier ooit mag komen. Niemand mag
weten dat dit hol bestaat. Alleen wij tweeën, jij en ik.
Toch?'

Peper grist een spekkie uit de schatkist en kijkt me
kauwend aan. Dan haalt ze haar schouders op en
knikt.

'Ja? Oké? Goed. Ik heb dus iets verzonnen... Het is
een beetje raar, maar ik denk wel dat het werkt. Het
gaat zo. Een van ons spuugt in de beker en de ander
drinkt het op. Dan andersom. En daarna vertellen we

elkaar een geheim. Een echt geheim, iets wat we nog niet van elkaar weten, iets wat niemand weet of weten mag. En ik heb ook nog een naald, daarmee kunnen we...'

Peper rimpelt haar neus. 'Spuug? Echt spuug? Hoeveel?'

'Nou gewoon een beetje. Spuug hè, geen snot. In de fristi. En dan een geheim. En dan met die naald...'

'Jij eerst,' zegt Peper. 'Jij hebt het bedacht. Schenk maar in.'

Ik giet de helft van het blikje fristi in de beker en geef hem aan haar. Peper haalt diep adem, verzamelt spuug in haar mond en laat het boven de beker uit haar getuite lippen vallen. Een dikke klodder is het, die aan een draad langzaam naar beneden zakt. Ik kijk niet in de beker als ik hem aanpak. Ik knijp mijn neus dicht en klok de fristi naar binnen, in één keer, zonder te kokhalzen.

'Goed zo.' Peper juicht haast. 'En dan nu je geheim, Zout.'

'Nee,' zeg ik. 'Eerst moet jij drinken, dat is de afspraak.'

Peper legt haar hand op mijn arm.

'Straks... Ik doe het zo. Echt. Eerst jij met dat geheim. Ah toe. Zoutje? Ik ben nu nogal misselijk.'

'Nou goed dan,' hoor ik mezelf zeggen. 'Eerst ik met dat geheim. Zul je het aan niemand doorvertellen?'

'Nee, natuurlijk niet.'

'En ook niet lachen?'

'Nee-hee, kom op nou, vertel.'

16

'Echt niet? Nooit?'

'Ik zweer het. Ik zweer het nog eens extra, kijk maar.'

Peper spuugt tussen haar wijs- en middelvinger door op de grond. Het is vreemd dat ze nog spuug overheeft.

'Goed dan,' zeg ik aarzelend. 'Ik ben verliefd.'

Peper buigt zich voorover.

'Verliefd? Jij? Echt? Op wie dan? Op Farouk? Op Glenn of Hamid? Of help, op Joachim toch zeker niet?'

'Nee,' fluister ik. Mijn hoofd wordt warm, warmer, heter, heetst. 'Ik ben verliefd op, op, op. Oppoppop. De meester.'

'Wát?' joelt Peper. 'Op de meester? Op onze meester? Op meneer Prikov? Nee toch zeker?'

Volgens mij kan iedereen op de parkpaden haar horen lachen, dwars door de struiken heen. Ze roept dingen als 'nee', 'met die snor' en 'hoe kom je erbij'. Ik heb ineens een erg droge mond. Zonder iets te zeggen pak ik de beker weer op en schenk de rest van de fristi in. Ik spuug. Het is maar een heel klein beetje. Peper lacht niet meer. Ze pakt de beker aan en zet hem aan haar mond.

'Zo,' zegt ze terwijl ze het laatste restje fristi op de grond giet en het met haar voetzool de aarde in wrijft. 'En nu nog een geheim hè. Even denken. Ha, de meester. Meen je het echt? Ja? O sorry. Weet je wat ik later wil worden?'

'Ja natuurlijk. Beroemd toch.'

'Nee... Dierenarts.' Ze kijkt me triomfantelijk aan. 'Zo. Nu moet ik weer gaan. We eten vroeg, zei mijn moeder. Zout? Niet boos zijn. Ik heb gewoon geen geheimen, daar kan ik niets aan doen. Ik ben niet zoals jij. Sorry. Sorry ook dat ik moest lachen. Laten we later samen dierenarts worden.'

'Maar de naald dan?' zeg ik.

Vier – *tsjetyre*

Ik had Peper willen prikken. Ik had haar met de naald in haar vel willen prikken tot er bloed uit haar vinger kwam. Ze had het ook bij mij mogen doen. We zouden ons bloed door elkaar smeren op de eerste bladzijde van ons schrift, van het schrift dat in de schatkist ligt. Dan stond wat we gezworen hadden pas echt vast, voorgoed. Maar het is al te laat. Peper is weg.

Ik loer tussen de takken door. Het bankje dat voor de struiken staat is leeg, maar over het pad schuifelt een oud mevrouwtje. In de verte rent Peper over het gras. Ik heb dezelfde schoenen als zij aan mijn voeten, ze waren heel duur en ik moest er lang om zeuren bij mijn moeder, maar die van haar gaan altijd vlugger. Peper let namelijk nergens op. Het is een wonder dat ze nooit tegen iets of iemand op botst.

Ik begraaf de schatkist en woel met mijn vingers door de grond totdat niet meer te zien is dat er is gegraven. Dan leg ik het lege fristiblikje erbovenop neer, een beetje scheef zodat het lijkt alsof iemand het zomaar tussen de struiken heeft gesmeten – zo weet ik de volgende keer waar ik moet graven. De lepel rol ik in de deken en de deken verstop ik tussen de takken.

Ik kies een sluiproute terug naar Pepers huis, niet over de paden, maar kriskras door de bosjes. De kerkklok bommelt ergens in de verte: het is zes uur. Onderweg kom ik een poes tegen, een zwarte met witte pootjes. Hij zit in de oksel van een tak en grijnst naar me.

De grote groene voordeur van Pepers huis is dicht, alsof er in geen tijden iemand door naar binnen is gegaan. Ik kruip naar het raam en kijk voorzichtig naar binnen. Peper zit zonder schoenen op de bank. Zo te zien denkt ze niet aan mij, of aan een geheim. Ze steekt haar pink in haar oor, roert wat rond, bekijkt de oogst en veegt het af aan de bank.

De kamerdeur gaat open. Pepers moeder Esther komt binnen. Ze heeft twee bruine papieren tassen van McDonald's in haar handen, en ze zegt iets – ik moet echt zorgen dat ik leer liplezen. Peper kijkt op en lacht. Ze zegt ook iets. Haar moeder geeft haar een van de tassen, gaat naast haar zitten en pakt de afstandsbediening. Ze eten voor de tv.

Ik blijf nog even kijken naar hoe ze kijken, kijken en kauwen. Dan draai ik me om en ga zitten, met mijn rug tegen de muur, tussen de ramen. Zou het echt waar zijn dat Peper geen geheimen heeft? Ik vraag het me af. Volgens mij hebben alle mensen geheimen. Er moet toch wel iets zijn, iets wat ze me niet wil zeggen? Dat ze, weet ik veel, niet naar de wc durft met de deur dicht, stiekem een prinses is uit een ander land... Maar ik heb haar nooit op zoiets kunnen betrappen. Peper heeft vier zwemdiploma's, een zus van zeventien, een schaatsmedaille, een computer op haar ka-

mer en een eigen mobieltje. Misschien heeft ze geen
geheimen nodig. Alles klopt aan haar.

Door de ramen van mijn eigen huis is geen bal te zien,
zelfs het ruitje in de voordeur is beslagen. Stukje bij
beetje wrik ik de sleutel in het slot en duw voorzichtig met mijn schouder tegen de deur. Hij gaat zonder
knarsen open. Binnen ruikt het naar eten. Ik loop op
mijn tenen door de gang en kijk door de kier van de
keukendeur.
  Aan tafel zitten twee mensen, twee mensen en
een poes. De poes heeft een eigen krukje. Hij kijkt
op, knipoogt naar me, heft een pootje en begint zijn
snor te poetsen. De ene mens kijkt op zijn horloge. De
andere mens probeert een vork op haar glas te laten
balanceren, als een wip voor twee onzichtbare man-
netjes. Ze lijken op mijn ouders en op Mimauw, die
mensen en die poes. Er is niet veel aan te zien. Maar
je moet voorzichtig zijn. Altijd. Al was het maar voor
de oefening...
  'Hoi Eef. Kom eens normaal binnen, wil je. Wat
ben je laat,' zegt de ene mens plotseling. Ze heeft lange
rode haren, net als ik, en is nogal dik. 'Was het gezellig
bij Eva?'
  'Ja mama,' zeg ik en loop de keuken in.
  'Heb je mijn brieven vanochtend nog gepost?' zegt
de andere mens, die blond maar tamelijk kaal is en een
bril draagt. 'En hoe ging de overhoring vandaag?'
  'Ja papa, goed natuurlijk papa,' zeg ik en aai met
een vinger Mimauw over zijn kop.

'Fror?' zegt hij.

'Ja nou,' zeg ik. 'Frórre-fror.'

Mimauw is van mij. Hij lijkt op een gewone poes, hij heeft oren en een staart en zo, maar hij is niet gewoon. Hij is een siamees. Zijn vacht heeft een bijzondere kleur, anders dan bij andere poezen. Hij is ook veel slimmer dan andere poezen. Gewoon miauwen kan hij niet, hij maakt de gekste geluiden. We begrijpen elkaar goed, Mimauw en ik. Vreemde mensen krabt hij. Of hij kruipt weg.

Ik kus Mimauw op zijn rug, tussen zijn schouderknobbeltjes. 'Bah Eva,' zegt mijn vader. Ik wring me op mijn krukje dat tussen de koelkast en de tafel staat. 'Prrt?' zeg ik. Mimauw loopt meteen over naar mijn schoot. Mama schept op uit de pannen die op het fornuis staan. Ze hoeft daarvoor niet helemaal op te staan – wij hebben geen groot huis.

'Wat eten we? Peper patat,' zeg ik. 'Met hamburgers. En nuggets. En d'r moeder dronk cola, voor de tv, ze keken naar *De verbouwing* en...'

'Daar word je lelijk van,' zegt mama, 'en dik. Wij eten bietjes.'

Ik kijk haar verbaasd aan. Ze is echt niet wijs, Peper is toch zeker niet lelijk? En haar moeder is juist heel dun, voor een moeder. Papa steekt zijn bord in de lucht.

'Bietjes,' zegt hij, 'hè, lekker. Waren de slavinken op?'

'Dit zijn lamskoteletten, Willem.'

Mama zet de borden zo hard voor ons op tafel

neer dat de lamskoteletten een sprongetje maken van schrik. Ze is boos. Meestal noemt ze mijn vader geen Willem maar Pimmel. Ook in drukke winkels en volle straten en als er bezoek is. 'Je moeder is al even gestoord als jij,' zegt Peper vaak. Terwijl ik mijn vader nooit Pimmel noem, ik kijk wel uit.

We beginnen te eten. Papa mummelt aan een botje, legt het terug op zijn bord en begint tussen zijn tanden te peuteren. Ik neem een hap biet. Morgen zal mijn poep paars zijn, en die van mijn ouders ook. Zou het precies dezelfde kleur paars zijn? Opeens merk ik dat ik de enige ben die kauwt. Mama heeft haar vork neergelegd. Ze kijkt naar papa.

'Had je liever slavinken gehad?' zegt ze. 'Ik dacht: weer eens iets anders. Een recept van Inge. Met kummel.'

'O ja,' zegt papa. 'Ja ja. Weer eens iets anders. Vandaar.'

'Ik vind het best lekker hoor,' zeg ik gauw. 'Mag ik nog zo'n bot?'

Het is een tijdje stil.

'Inge belde trouwens nog,' zegt mama dan. Ik ga rechtop zitten. 'We nemen zaterdag de eerste trein, anders missen we de vroege boot. Ik kom maandag aan het eind van de middag weer terug. Om vijf uur, Eva, dus je kunt me van het station halen. Inge blijft waarschijnlijk wat langer op het eiland.'

'Wat gaan jullie precies doen op Wadsoog, mam?'

Ik begrijp er niets van dat mijn moeder met Inge op vakantie wil. Inge heeft een baardje. Echt waar.

Er groeien haren uit haar kin. Ik zou zelf nooit een vriendin met een baardje willen hebben. Inge eet zeewier en brandnetels en kummel en andere enge dingen en praat alsof ze onder water zit. Ze glimlacht erbij. Ze doet de hele tijd niets anders dan glimlachen, maar als ze op de wc zit huilt ze wel eens. Ik heb het zelf gehoord, toen ze laatst bij ons was. Ik houd Inge goed in de gaten. Mijn vader kijkt juist helemaal niet naar haar, hij mag haar niet.

'Ja, wat gaan we doen? Dat weet ik niet precies,' zegt mama, 'Inge heeft het geregeld. Het is een herijk-weekend.'

'Een wat-weekend? Is dat iets met bomen?'

Papa proest kleine stukjes biet over tafel, zo hard moet hij lachen. Mama staat op en pakt een doekje.

'Hè,' zegt ze al vegend. 'Hè, toe nou, alsjeblieft zeg.' Het doekje trekt paarse sporen op het tafelblad. 'Herijken heeft niets met bomen te maken, Eva. Het is een cursus, een soort les waarbij je op zoek gaat naar wat er belangrijk voor je is. Je leert er jezelf kennen, zal ik maar zeggen. Ik krijg daar op Wadsoog allemaal oefeningen en daardoor ontdek ik wie ik ben, daar komt het op neer. En Inge ook. Wie zij is bedoel ik. Wil je yoghurt?'

Papa grinnikt weer, maar ik bekijk mijn moeder eens goed. Ze is oud, al bijna veertig. Er zit al wat grijs tussen haar rode haren. Ik snap er niets van.

'Ontdekken wie je bent? Moet je daarvoor helemaal naar een eiland? Je kunt toch gewoon in de spiegel kijken?'

Nu lacht mama gelukkig ook. Mimauw steekt een poot uit en grist een botje van mijn bord. En de telefoon gaat. Ik veeg de poes van mijn schoot, wurm me van mijn kruk en ren de kamer in. Ik wil per se opnemen, want er belt de laatste tijd steeds iemand op die niets zegt, die alleen maar ademt. Ik probeer uit te vinden wie het is, maar mijn onderzoek schiet nog niet erg op. Na een hele tijd zoeken vind ik de hoorn onder een stapel kranten.

'Ja, met Eva,' zeg ik ademloos en doe net of ik papa en mama niet hoor, die tegelijk 'Ben-schop' roepen vanuit de keuken. 'Met wie spreek ik?'

'Met oma,' zegt mijn oma. 'Je moet wel je achternaam zeggen als je de telefoon opneemt, Eva, hoe is het met je lieverd, geef je vader of je moeder even, wil je?'

'Moeder komt overmorgen eten,' zegt papa als hij ophangt.

'Wat?' zegt mama.

'Mag Peper dan ook komen?' zeg ik.

Vijf – *pjat*

Peper en ik lopen over straat. We zijn op weg naar school.

'Kijk,' zeg ik. 'Als je zo loopt kan je niets overkomen. Dat heb ik ontdekt. Het is een soort supersluipen...

We zijn vroeg. De straat is leeg op een oude man na, die ons met een dribbelig hondje aan een riem tegemoetkomt. Ik ken ze wel, die twee. Het hondje heet Rocky. Hij lust graag kaas. De man is meneer Post. Hij lust juist niet graag kaas. Ze wonen met een oude vrouw op de hoek van de Kruislaan, op nummer vierendertig, ik kom er elke dag op weg naar school langs. De vrouw heeft een zakje onder haar jurk waar plas in zit. Als zij de kamer uit gaat geeft meneer Post zijn boterham aan Rocky.

Meneer Post kijkt me aan als hij langsloopt, maar ik groet hem niet. Hij weet natuurlijk niet dat ik weet wie hij is. Rocky weet het wel, denk ik. Zijn oogjes glinsteren achter de franje die voor zijn koppetje hangt, hij ruikt even aan mijn schoen en bromt naar me. Ik doe een stapje opzij.

'Peep? Kijk, zo,' zeg ik even later. 'Een voet naar voren, twee passen opzij. Andere voet naar voren, twee passen opzij. O sorry.'

Peper wrijft over haar bovenarm.

'Wat nu weer. Het ziet er dom uit, weet je dat?'

'Ja, maar het gaat er juist om dat je het volhoudt. Anders werkt het niet, snap je? Zo dus: naar voren, opzij, opzij. Naar voren, opzij, opzij. Je moet het een beetje schaatsend doen. Het kan heel hard gaan.'

'Ik heb een nieuwe jas,' zegt Peper. 'Nam Sarah gisteravond mee. Hoe vind je hem? Je zegt er niets over.'

De nieuwe jas is zilver. Er zitten bontranden langs de kraag en langs de randen van de mouwen. Hij is van een goed merk, denk ik. Al Pepers kleren zijn van een goed merk. Haar zus Sarah koopt ze voor haar. Mijn moeder maakt zelf kleren. Ze naait met Inge, elke week.

'O ja,' zeg ik. 'Leuk. Eigenlijk gaat het vlugger dan gewoon lopen, weet je dat? Het maakt niet uit als je op de lijntjes staat, dat mag. Maar als je bij een stoplicht komt moet je dus wel precies onthouden waar je... Peper?'

Peper loopt dwars door rood de brug op. Ze neemt grote stappen, haar nieuwe jas schittert en blikkert en vonkt, terwijl de zon niet eens schijnt vandaag. Er wordt getoeterd, maar ze loopt gewoon door. Haar zus is zeventien. Ze weet precies hoe alles moet. Iedereen op school vindt Pepers kleren mooi.

Eindelijk springt het licht op groen. Zo snel als ik kan zigzag ik achter Peper aan. Ik kan nu niet normaal gaan lopen, dat zou alles verpesten. Peper is al bijna aan de overkant. Ik leg mijn hand op de leuning. Zo is het nog moeilijker om te zigzaggen, vooral omdat ik ook nog de spijlen van het hek moet tellen, in het Russisch. Dat moet. Dat hóórt. Dat doe ik elke dag. Een voet naar voren, twee passen opzij, adin, dva, tri en vier was... tsjetyre. 'Peper,' hijg ik.

Het heeft geen zin, ze hoort me niet eens meer. Halverwege de brug sta ik stil. Er komt net een boot aan getuft, een lang plat schip vol zand, een rijnaak. In de stuurhut staat een man aan het roer. Hij vaart en rookt.

Ik blijf kijken. Wat zou het fijn zijn om zo'n boot te hebben. Je zou er een strand van kunnen maken, een varend strand. Als ik zo'n boot had, zou ik dat zeker doen. Dan ging ik erop wonen. Hier en daar zou ik stoppen om te zwemmen, ik maakte eens een zandkasteel, stookte 's avonds een vuur. En intussen, langs de oevers, deden andere, normale mensen wat ze altijd doen: werken, ruzie maken, de boodschappen...

Als de boot onder me door gegleden is, kan ik weer verder lopen. Peper is al om de hoek verdwenen. Op nummer vierendertig ruimt mevrouw Post net de ontbijttafel op. Ze draagt een ochtendjas en pantoffels. Haar nachtpon is blauw. De bel gaat als ik het schoolplein op loop.

O meester, meneer Prikov.

Ik kom het lokaal binnen en daar staat hij weer. Met zijn bruine ogen. Zijn overhemdsmouwen een stukje opgerold. Zijn polsen, zijn haren, het verstopte lachje in zijn mondhoek, zijn grote dunne neus. Hij speelt soms accordeon in de klas, hij heeft ons leren tellen in het Russisch tot dertig, hij vindt de verhalen die ik verzin mooi en nu knikt hij me toe en zegt 'ga maar gauw zitten, Eva.' Hij is geweldig.

'Goedemorgen allemaal,' zegt hij als iedereen zit. 'Zijn we compleet? Mooi. Komende week is het de Week van de Toekomst, zoals jullie misschien wel weten. Alle groepen doen mee aan het project. Wij gaan het er nu vast even over hebben. Voor je het weet is het tenslotte later.'

Ik ben de enige die lacht. De meester knipoogt naar me.

'Goed. Wat willen jullie worden als je later groot bent, daarover gaan we...'

Op dat moment schalt Peper haar geheim door de klas. Het zogenaamde geheim dat gisteren nog zogenaamd alleen ik, haar beste vriendin, weten mocht.

'Dierenarts, meester. Ik word later dierenarts.'

Ik kijk verbaasd opzij, maar Peper let niet op mij.

'Dierenarts,' roept ze nog een keer keihard.

'Kun je nog even je waffel houden, Eva? Alsjeblieft dankjewel,' zegt de meester. 'Waar was ik gebleven? De toekomst. Nog even en jullie moeten een middelbare school kiezen. Dat is dichterbij dan je denkt. Dus wat willen jullie worden? Van Eva Peper hebben we het allemaal al gehoord. Maar jij Eva, andere Eva, wat wil jij later worden?'

Iedereen kijkt naar me. Het is lang stil.

'Ik weet het nog niet,' prevel ik dan maar, ook al weet ik het best. De anderen beginnen te joelen en me na te bauwen, maar de meester zwijgt. Hij kijkt me aan. Zijn ogen hebben de kleur van een mars. Dan begint ook hij te lachen. Mijn hoofd wordt erg warm.

'Je moet het me later nog maar eens vertellen, Eva,' zegt hij. 'In alle rust. Stil, jongens. Joachim, jouw beurt. Aan welk beroep zat jij te denken?'

Ik kijk Peper niet aan, ik kan wel raden hoe ze naar me kijkt. Waarom heb ik nou niet gewoon conducteur gezegd, of dokter, of postbode, of filmster. Iets. Wat dan ook. Ik leg mijn handen langs mijn gloeiende wangen, hoor Joachim in de verte iets zeggen over treinen besturen en Farouk na hem iets over een zwembad in de tuin.

Ineens begint de hele klas te lachen, ook de meester. Ook Peper. Ik stoot haar aan.

''t Is Robine,' fluistert Peper. 'Die wil ijscovrouw worden, zegt ze net.'

Robine, het op een na mooiste meisje van de klas, kijkt trots rond.

'Ik kom elke dag langs hoor, meester,' fleemt ze. 'Met een gratis ijsje bij jouw huis. Wat is je lievelingssmaak?'

'Hazelnoot,' antwoordt hij, nog steeds grinnikend. 'Heb je dat in je karretje, denk je?'

Robine knikt. Ze draagt vandaag een roze glansmaillot. Zou die maillot scheuren, en het vel eronder ook, als ik haar over de stoep sleur, stel je voor? IJscovrouw. De meester is nog altijd niet uitgelachen.

Eindelijk steekt hij zijn hand in de lucht, zijn hand met haartjes erop, en schraapt zijn keel. De beurt is aan Fatima, Fatima de lispelaar, die beter kan rekenen dan ik en bijna even goed is in taal. Daarna is Shirley, dan Coen, dan Kim. De meester doet alsof alle kinderen om aan te horen zijn, dat moet hij wel, als meester, dat snap ik best.

'Wat ben je toch een debiele mongool, Zout,' zucht Peper als we later die dag bij het klimrek staan. 'Waarom zei je nou niets? We hadden toch afgesproken dat we samen dierenarts gingen worden?'

Ik kijk naar onze schoenen.

'Jij dan,' mompel ik, 'jij vertelt zomaar je geheim...'

Ik weet niet of Peper dat hoort, want er komt een sliert kinderen op ons af gezwiept. Ze lopen arm in arm. Robine in het midden gilt het hardst.

'Wie doet er mee met de jongens de meisjes? Wie doet er mee met de jongens de – Peper? Hé Peper? Eva? Kom je nog?'

Peper haakt in. Zonder om te kijken zwiert ze weg met de anderen. Dierenarts, denk ik. Griezelig met bloed, lijkt het me. Ik doe nooit mee met de jongens de meisjes. Ze vragen het me niet, maar ik wil het ook niet. Er is toch niemand die me wil vangen voor een kus.

Peper holt voorbij met alle jongens uit onze groep achter zich aan, Farouk voorop. Zijn zwarte haar glanst als het schild van een tor. Ik hijs me op een stang van het klimrek. Ik wou dat ik thuis was. Ik wou dat ik ziek was. Ik doe mijn ogen dicht.

Meester, denk ik.

Zes – *shjést*

Als ik wil dat Mimauw bij me komt, hoef ik hem niet hardop te roepen. Ik hoef alleen aan hem te denken. Echt waar. Het is alsof ik in zijn kop kan kijken, en hij in die van mij. We lezen elkaars gedachten. Ik zou willen dat ik dat ook bij mensen kon – heel soms lukt het een beetje.

Ik zit op het klimrek en wens dat de meester naar me toe komt. Omdat ik wil dat hij naar me toe komt. En om aan Peper te laten zien wat ik kan (als ik het kan). Het zou bijzonder zijn (als het lukt), bijzonder-der dan een kus van een jongen, van welke jongen dan ook. Maar ik moet niet aan andere dingen den-ken en niet ongeduldig zijn. Ik mag mijn ogen zeker niet te vroeg weer opendoen.

Nu, denk ik en klem mijn handen naast mijn bil-len rond de klimrekstang, nu kijkt de meester uit het raam en ziet mij hierbeneden zitten. Eva, denkt hij, Eva met de rode haren, wat doe je daar zo alleen? Hoe kan het bijzonderste kind van de klas daar zo in haar eentje zitten? Hij schudt zijn hoofd. Hij snapt er niets van en gaat naar de...

Ineens krijg ik een harde duw, zodat ik bijna voor-over klap. Ik kan wel raden van wie. Waarom laat hij me toch nooit met rust. 'Rooie, rooie, een lelijk wijf, geen mooie,' zingt hij. In de verte hoor ik anderen la-chen.

Ik haat Farouk. Ik haat Farouk meer dan wie ook. Hij is nog erger dan Inge, de glimlachende vriendin van mijn moeder. Farouk moet altijd mij hebben. Hij trekt aan mijn haar. Hij laat me struikelen op de gang. Hij verstopt mijn tas. Hij verstopt mijn jas. Hij verstopt mijn etui, mijn gymzak, mijn pen. Hij maakt mijn broodtrommel stuk, en hij verzint flauwe liedjes. De anderen, op Peper en slome meisjes zoals Fatima na dan, zingen hem na.

Misschien is Farouk wel op aarde om mij te zieken. Misschien is het een soort test, een beproeving, zoals draken dat zijn voor ridders. Volgens mijn moeder is Farouk verliefd op me, maar mijn moeder is gek. Zoiets kan echt alleen op tv. Farouk is de mooiste jongen van de klas. Hij is ook de beste bij gym.

De meester. Ik moet aan de meester denken, alleen aan hem, en nergens anders aan. Farouk geeft me nog een zet en spuugt naar me, maar rent dan gelukkig weer weg. Ik veeg mijn schoen af aan mijn broek en knijp mijn ogen weer dicht.

Meneer Prikov is zijn kamer uitgegaan, ik zie het duidelijk voor me, net een film. Hij loopt zo snel als hij kan over de gang. Er loopt verder natuurlijk niemand, de lokalen zijn leeg, de kapstokhaken ook, het is bijna overblijftijd... Hij komt bij de trap. Hij pakt de leuning niet vast, hij roffelt in één keer naar beneden. Wat voor schoenen heeft hij vandaag ook alweer aan? De bruine, veterloze, van dat gladde zachte leer.

Hij is beneden, denk ik. Nu. Hij loopt naar de deur. In het voorbijgaan groet hij de conciërge door zijn hand op te steken en 'Ad!' te zeggen, zoals hij dat altijd doet. Hij komt in de hal. Het wordt steeds moeilijker mijn ogen niet open te doen. Zou het gelukt zijn? Komt hij eraan? Van de deur naar het klimrek is het achtentwintig passen, ik heb het wel eens geteld. Achtentwintig meisjespassen van maat 35, dat zijn waarschijnlijk, even denken, drieëntwintig mannenpassen. Rustig tellen (in het Russisch natuurlijk): adin, dva...

Dvadtsat-tri. Drieëntwintig. Ik doe mijn ogen open. Pal voor mijn neus staat meneer Prikov niet. Peper wel.

'Zout,' zegt ze. 'Weet je dat je met je ogen dicht stond? Beetje abnormaal, hè. Kom je nog meedoen – ze vinden het goed hoor, voor een keertje, ik heb overlegd – of niet?'

'Neuh,' zeg ik. 'Kom eens.'

Ze buigt zich naar me over en ik fluister in haar oor wat ik aan het doen ben.

Peper giechelt.

'Dat is weer wat voor jou. Denk je echt dat het werkt?' Ze kijkt om zich heen. 'Daar is hij! Hij komt naar buiten. Ook toevallig. Wauw, Zout. Wat ga je nu doen?'

'Sst. Nu doe ik net of ik ziek ben, let op. Ik heb geen zin meer in school vandaag.'

De meester staat te kletsen met wat juffen bij de deur. Ze lachen om wat hij zegt. Na een tijdje kijkt hij op en ziet me staan – Peper is weggerend. Hij komt naar me toe. Ik begin te gloeien. Warm, warmer, he-

34

ter, heetst. Mijn hart stampt als de motor van een zwaar schip.

'Wat moet jij hier zo alleen, Eva,' zegt hij. 'Is alles goed met je? Laten ze je weer niet meedoen? Of wil je zelf niet meespelen?'

'Nee, hoeft niet,' fluister ik schor.

De meester kijkt me bezorgd aan. Het is net alsof ik mijn stem heb doorgeslikt nu hij zo dichtbij me is. Hij legt een grote hand op mijn schouder en zakt door zijn knieën. Zijn gezicht is nu lager dan dat van mij. Ik kijk naar zijn schouder, draai een pluk haar rond mijn vinger en slik. Ik moet bijna huilen.

'Is er iets gebeurd? Je zou het voortaan toch tegen me zeggen. Eva? Waar is de andere Eva?'

'Nee, ja, ik weet het niet, meneer Prikov,' stamel ik. 'Eva is daar.' Ik trek mijn vinger los uit mijn haar en wijs naar Peper, kijk de meester aan en zucht.

'Ik voel me niet zo lekker, geloof ik. Maar het geeft niets hoor.'

Ik hoest. Het klinkt roestig, reutelend, niet al te hard. Precies goed.

'Eva nou toch,' zegt de meester. 'Wat scheelt je dan? Ben je ziek?'

De bel gaat en de anderen drommen langs ons heen naar binnen voor hun trommeltjes, hun bekers, hun bruin beplekte appels. De overblijf begint. De meester voelt aan mijn voorhoofd en pakt mijn hand.

'Kom maar. Is je moeder of je vader thuis? Ja? Je ziet helemaal rood, zeg. Ik breng je wel even naar huis, ik ben vandaag toevallig met de auto. Jij kunt best een middagje missen, je loopt zover voor op de rest.'

Hand in hand met de meester loop ik het schoolplein af. Ik zweet van de zenuwen, maar het jubelt in mijn buik. Ik en de meester. De meester en ik. We gaan het hek door en steken de weg over naar de parkeerplaats langs de sloot. Meneer Prikov houdt mijn hand aan de toppen van mijn vingers vast.

'Daar staat ie,' wijst hij met zijn andere hand.

De auto is diep donkerblauw. Aan de zijkanten zitten een hoop raampjes op een rij. Het lijkt wel zo'n auto als waarin ze dode mensen naar het kerkhof brengen, maar dan zonder gordijntjes. Mijn ouders hebben geen auto. Pepers moeder heeft er twee. Ik kijk nog even om. Bij de deur van de school, achteraan de rij, staat Peper met Farouk, Robine, Minou en Glenn. Ik wuif naar haar met één geheime vinger, maar ze ziet het niet.

De meester frommelt met gefronste wenkbrauwen in zijn zakken. Hij trekt een sleutelbos tevoorschijn. Er zit een knopje op om de autodeuren mee te ontgrendelen. Het werkt niet meteen. De meester drukt nog eens op zijn sleutelbos en nog eens. Auto, denk ik plechtig, auto, open u. Plotseling gloeien de lampen aan de achterkant van de auto op.

'Je kunt erin,' zegt meneer Prikov een beetje verbaasd.

Ik stap in. De meester buigt zich over me heen om me te helpen met de gordel. Hij ruikt naar citroen en naar scheren.

36

Zeven – *sjém*

Meneer Prikov start de motor. Ik leun achterover en kijk toe hoe de school langs de ramen glijdt, ik verdraai mijn nek zowat. Het stoepje bij de deur is intussen leeg. Peper zal wel erg alleen zijn de rest van de dag, zo zonder mij. Ik voel me ineens doodmoe worden, alsof ik echt ziek ben.

De meester duwt een cd in een gleuf in het dashboard. Een accordeon, violen en een gloeiende mannenstem die Russisch zingt spoelen door de auto. Het is zo mooi dat ik niet meer denken kan, dat ik alles vergeet: Peper die nu met haar roze boterhammentrommel aan tafel zit, Farouk met zijn plastic zakje met appel, misschien wel naast haar, op mijn plek, Robine die elke dag een Kapitein Koek mee heeft...

'Wat een mooie muziek,' zeg ik als het uit is. Ik moet het drie keer zeggen, de meester verstaat me de eerste twee keer niet. Dan lacht hij naar me in het achteruitkijkspiegeltje en parkeert de auto in mijn straat.

'Verdomme Eva,' zegt mijn moeder als ze de deur opentrekt, 'wat doe jij hier? Zo vroeg? Is het weer zover, ben je weer schoolziek... O, neemt u mij niet kwalijk, dag meneer Prikov.'

Mama werkt thuis, als ik op school zit. Ze schrijft artikelen voor een damesblad dat *Erbij* heet en wordt daarbij niet graag gestoord. In de gang schudt ze de

37

hand van de meester, zomaar even kort, alsof hij een gewone man is, legt een warme hand op mijn voorhoofd en snuift.

De meester wil geen koffie, maar wel mijn kamer zien. Ik storm voor hem uit de trap op en bedenk boven aangekomen pas dat zieken niet stormen. Zieken sloffen. Met een zo moe mogelijk gebaar duw ik de deur van mijn kamer open.

Daar staat hij dan, de meester in mijn kamer. Ik heb vaak verzonnen hoe dat zou zijn. In het echt is het anders. Hij is wel hetzelfde, maar mijn kamer is klein ineens, klein, warm en kinderachtig. Mijn dekbedovertrek is ontzettend roze. Mimauw, die op mijn bed ligt te slapen, kijkt oogknippend op. Meneer Prikov bukt zich om hem te aaien.

'Wat een mooie poes heb je. Een siamees hè? Een beetje schuw, geloof ik. Dag poes. Zeg, zorg maar dat je snel weer opknapt. We kunnen je niet lang missen, hoor.'

We, zei hij, de meester. Hij bedoelt natuurlijk: ik. Ik kan je niet missen. En Peper, die natuurlijk ook niet. Hij raakt met zijn hand mijn haar even aan.

'Ik weet wel wat ik later wil worden, hoor,' zeg ik opeens.

'Ja? Wat dan? Durf je het nu wel te zeggen?'

'Dat kan niet. Het is geheim werk, werk dat niemand weten mag, anders kun je het niet meer doen... Ik ben al in training.'

De meester lacht. 'Goed dan. Het zal me wat moois wezen, wat het ook is. Oefen maar flink. Maar eerst

38

beter worden, hoor. En Eva, ik weet niet precies wat er vandaag nou weer gebeurd is op het plein, maar vergeet niet dat je altijd naar mij toe kunt komen. Altijd, al zou je er, bij wijze van spreken, middenin de nacht bij mij thuis voor moeten aankloppen... Echt hoor, ik meen het. Je hoeft niets verborgen te houden en je nergens voor te schamen. Dat weet je toch, hè?'

Beneden in de gang staat mijn moeder te wachten. Ze heeft haar armen over elkaar geslagen en ze maakt een zoemend geluid, tot ze ons hoort aankomen en opkijkt.

'Laat haar maar even lekker uitzieken, mevrouw Benschop,' zegt de meester terwijl hij van de laatste traptree stapt en zijn jas dichtknoopt. 'Ze ziet bleek, vindt u niet? Krijgt ze wel genoeg slaap? Ze zat vandaag weer zo te dromen in de klas en later ook buiten, op het schoolplein... Ze valt een beetje buiten de groep, zoals u weet. Eva heeft een wonderlijk krachtige fantasie.'

'Nou en of,' zegt mijn moeder. 'Ze bedenkt de gekste dingen.'

Ze laat de meester met wapperende handen uit, alsof ze hem de deur uit waait. Dan draait ze zich om naar mij.

'Wat heeft dit te betekenen? Waarom laat jij je thuisbrengen? Midden overdag? Denk je dat de meester, die toch zeker hoofd van de school is, niets beters te doen heeft? Je voelt koel aan. Je hoest helemaal niet. Je hebt vanochtend drie boterhammen en een ei gegeten. Wat is er met je? Ben je weer schoolziek?'

Ik heb honger. Mama maakt het nog erger, door over boterhammen te beginnen. Maar nu moet ik doorzetten. Ik moet er niet aan denken dat ze me terug naar school stuurt – wie weet wat Farouk vanmiddag nu weer verzint.

'Ik weet het echt niet, mama,' zeg ik steunend. 'Ik ben duizelig en misselijk ook en mijn oor doet pijn... Echt heel erg.'

Van 'echt heel erg' heb ik meteen spijt. Ik moet niet overdrijven, dan gelooft ze me nooit.

'Als je echt ziek bent, bespaar me die blik alsjeblieft, Eva, dan moet je naar bed. Nu. Vooruit, naar boven. Ik haal de thermometer.'

Ik heb het plotseling snikheet – alsof ik echt koorts heb. Op het moment dat ik de thermometer aanpak gaat beneden de telefoon. Mama haast zich de trap weer af. 'Met Charlotte Benschop,' hoor ik haar even later zeggen. 'Hallo? Is daar iemand? Joe-hoei? Zeg, hallo? Godsamme. Zeg nou eens iets. Ik hang op hoor, als u nu niets zegt. Ik hang echt op, ik hang dus nu...'

Ik houd de thermometer tegen de verwarming, stroop mijn broek omlaag, ga op bed liggen en steek hem tussen mijn billen.

'Nou, vooruit dan maar,' zegt mama als ze de temperatuur heeft afgelezen. 'Maar het verbaast me wel. Je hebt toch zeker niet met dat ding zitten kloten? Eva?'

Ik vecht tegen de lach die omhoog wil kruipen.

'Goed dan,' korzelt mama. 'Jij je zin. Je bent dus

ziek. Pak even een schone nachtpon, je oude zit in de was. Blijf in bed. Niet roepen. Ik ben aan het werk beneden, zoals je weet. Die verdomde hijger heeft alweer drie keer gebeld vandaag en ik zit met een deadline...'

Ze loopt de trap alweer af. Mooie boel is dat. Stel je voor dat ik echt ziek was! Moest ik nog zelf naar de kast lopen voor een schone nachtpon ook! Ik zou net zo goed kunnen sterven. Mama zou het niet eens merken. Wat zou ze dan een spijt hebben. Wat zou ze huilen, als ze in zo'n meneer Prikov-auto achter mijn kist aanreed...

Ik trek het dekbed over mijn benen, voorzichtig om Mimauw, die weer op het bed gesprongen is, niet weg te jagen, ga op mijn rug liggen, vouw mijn handen op mijn borst en doe mijn ogen dicht. Even later komt mijn moeder boven met een kopje thee. Ze kan nooit lang streng zijn.

'Hier Eva. Sliep je?' zegt ze en bekijkt me eens goed. 'Je ziet er nu toch wel ziek uit. Je ogen zijn zo gek rood. Heerst er griep? Ja? Heeft andere Eva het ook? Je moet morgen ook maar thuisblijven, al komt het beroerd uit.'

Ik knuffel Mimauw. Ik lees achter elkaar twee boeken over vier kinderen en een hond die samen geheimen oplossen, en eet bloemkoolsoep die mijn vader me brengt. Als het buiten donker wordt en ik slapen moet, heeft Peper nog steeds niet opgebeld.

Acht – *vósjem*

Ik moet terug naar school, zo snel mogelijk. Wat spookt Peper uit zonder mij? En met wie? Ik heb er niet van kunnen slapen. En het is ook nog eens schooltuinendag vandaag, voor de laatste keer, hoe kon ik dat vergeten? We gaan de pronkbonen oogsten.

Ik zit als eerste aan tafel voor het ontbijt. Aangekleed en gewassen.

'Ik ben alweer helemaal beter,' zeg ik zodra mijn moeder gapend de keuken in komt. Ik kijk zo wakker en zo gezond mogelijk. 'Bijzonder hè? Mijn oorpijn en zo is helemaal weg, hoor. Ik heb hartstikke honger.'

'O ja?' Ze kijkt ongelovig. 'Je moet toch nog maar een dagje uitzieken, Eva. Ik vind het eigenlijk niet goed dat je bent opgestaan. Je moet het uitzweten, in je bed. Als je dit weekend maar opgeknapt bent. Ik ga naar Wadsoog voor die cursus, weet je nog? Het treft beroerd dat je net nu ziek moet worden.'

Nu moet ik weer iets bedenken om haar te laten geloven dat ik niét ziek ben, ik blijf aan de gang. Ik steek mijn vinger in de boter en houd hem onder Mimauws neus. Daarna pak ik twee boterhammen en smeer er dik pindakaas op. Mijn vader komt de keuken binnen. Hij morst muesli in een kom, luistert naar mijn moeders bezorgde gepraat, pakt mijn kin beet en kijkt me aan.

'Laat dat kind toch lekker naar school gaan,' zegt hij dan en laat mijn kin weer los. 'Dan kom jij ook aan jezelf toe, Charlotte. Je moet wel rusten hè, in jouw toestand.'

Waar dat nou weer op slaat? Ik weet het niet, maar dat zoek ik later wel uit. Nu heb ik haast. Ik gris mijn jas van de kapstok en ren de deur uit, voor mama zich kan bedenken en me tegenhoudt. Onderweg naar school, een voet naar voren, twee passen opzij, adin, dva enzovoort, zie ik Peper nergens. Ze staat niet op me te wachten, zoals anders. Meneer en mevrouw Post zitten aan hun tafel. Ze eten roerei. Dat doen ze normaal nooit.

In de klas zit de meester aan zijn tafel. Hij bladert zonder op te kijken in een boekje, het bovenste van een hele stapel. *Cito*, staat erop. Ik kijk de klas rond. Er groeit een klont in mijn keel. Wat nu weer? Alles is anders dan anders. De tafels staan twee aan twee bij-een geschoven, in drie rijen. Er liggen potloden op en kaartjes met namen erop geprint.

Ik loop aarzelend naar de tafels toe. Bijna meteen zie ik mijn eigen naam staan: *Eva Benschop*. Helemaal voorin zit ik. Op het kaartje van de tafel naast me staat *Fatima Bouali*. Ik doe net of ik het niet zie. Ne-gen rijen verderop zie ik eindelijk ergens *Eva Peper* op een kaartje staan. Naast haar zit Robine, *Robine van Praag*. Waarom zitten we vandaag op alfabet? En in de rij? De meester plukt aan een van zijn wenkbrau-wen. Hij heeft een beige broek aan, en een rode trui die ik nog nooit eerder heb gezien.

Ik loop naar mijn plaats en ga zitten. De klas stroomt vol. Als een na laatste komt Peper binnen. Ze trekt haar wenkbrauwen even op als ze de rijen tafels ziet. Ze loopt langs me heen, geeft mijn schouder een stompje, gaat naast Robine zitten en zegt iets tegen haar. De meester legt het boekje neer en staat op.

'Goedemorgen allemaal,' zegt hij (en wat heeft hij toch een mooie stem), 'stilte graag. Jullie krijgen vandaag een toets, een oefentoets. Later dit jaar volgt de echte. Het is om te zien naar welke middelbare school jullie straks toe kunnen. Gewoon aan de slag gaan, niet zenuwachtig worden, ik had het expres niet van tevoren verteld, doe jullie best.'

Hij staat op en begint de boekjes uit te delen. Farouk steekt zijn vinger op.

'Mag ik naast Glenn?'

'Straks misschien,' antwoordt de meester. 'Als we naar de schooltuinen gaan. Je hoeft je echt geen zorgen te maken, Farouk. Het komt wel goed. Begin maar gewoon.'

Ik krijg als een van de eersten een boekje. Ik sla het open, pak het potlood op, vul mijn naam in op het stippellijntje en lees de eerste vraag. Ik kleur het hokje van het goede antwoord zwart en lees de tweede vraag. Ik ben misselijk, maar dat komt niet door de opgaven. Ik kleur het hokje van het tweede en het derde goede antwoord zwart, en van het vierde, en kijk dan voorzichtig over mijn schouder. Peper giechelt met Robine. De meester zegt er iets strengs van.

Naast me windt Fatima haar vlecht om haar pols, ze is al bij vraag zeven, zie ik. De meester loopt langs. Hij legt zijn hand even op haar hoofd. Mij raakt hij niet aan. Ik kijk weer naar Peper, maar die kluift op haar potlood, rolt met haar ogen naar Robine en staart dan naar buiten. Ik buig me maar weer over de opgaven. De toets duurt zowat de hele ochtend, voor de anderen dan. Fatima en ik mogen intussen lezen.

Het speelkwartier slaan we over. Twee aan twee lopen we in een lange rij naar de schooltuinen, de meester voorop met Joachim. Het is Peper niet die naast me loopt, het is Fatima nog steeds.

'Hoe ging jouw toets?' vraagt ze.

'Eitje,' brom ik.

Ze knikt. 'Bij mij ook.'

Fatima heeft net als ik groep twee overgeslagen. Ze is bijna precies even oud als ik en best aardig, maar wel saai, en ze ruikt niet zo lekker. Echt goed ken ik haar niet. In de klas is ze erg stil en na schooltijd gaat ze altijd meteen naar huis, ze heeft een hele zwik broertjes en zusjes waar ze voor moet zorgen, geloof ik. Haar moeder heeft een doek om haar hoofd en haar vader heeft een baard – terwijl ze een kapperszaak hebben, dat is wel gek. Ik kijk achterom. Helemaal achteraan de rij loopt Peper met naast zich nog steeds Robine en voor zich Farouk en Glenn. Ze hebben veel lol, zo te zien.

In de schooltuinen geeft Fatima me een emmer aan. Ik loop ermee naar mijn tuintje. De bonenstok-

45

ken hangen helemaal vol. Vlak boven de grond bungelt een boon, en daar hangt er nog een, en daar, een grote, ik trek ze van de takken af en gooi ze in de emmer.

'Hé, Zout.'

Peper staat op het pad in haar zilveren jas.

'Hoe ging jouw toets? Goed zeker, zal wel,' zegt ze. 'Ik heb er niets van gebakken geloof ik, die vierkantjes die je om moest draaien, Robine snapte er ook geen hout van.'

'O,' zeg ik. 'Balen. Hé Peep, gaan we straks weer naar onze je weet wel in het je weet wel met nieuw je weet wel voor in onze je weet wel? Ja, toch? Ik kan alleen niet zo lang want mijn oma komt. Je kunt wel mee naar mijn huis gaan. Ik heb het al gevraagd. Mijn moeder vond het eerst niet goed, ze gaat morgenvroeg op reis met een vriendin van haar, die hele stomme, je weet wel... Maar toen mocht het toch. Oké?'

'Nee, ik heb iets anders te doen. Ik kan nu niet zeggen wat. Nee, echt niet. Hé Zout, weet je, ik heb nu ook een echt geheim, net zoiets als dat van jou. O shit, daar komt de meester.'

Ze sjeest naar haar eigen tuintje terug. Ik zie dat ze in het voorbijgaan iets tegen Farouk roept waar hij om moet lachen, maar kan niet verstaan wat het is. Ik trek onkruid rond mijn voeten weg. Ineens heb ik een piepklein radijsje in mijn hand, dat is vergeten groot te groeien. Het smaakt bitter.

Daar staan de beige benen van meneer Prikov

voor mijn neus. Ik kijk naar hem op. Mijn haren vallen langs mijn gezicht.

'Zo,' zegt de meester. 'Hoe gaat het hier? Ben je alweer opgeknapt?'

Ik knik stom.

'Dat is prettig. Wat heb je veel bonen, zeg. Had ik al eens verteld, jongens' – hij praat nu zo hard dat iedereen het horen kan – 'dat pronkbonen mijn lievelingskostje is? Koken, klontje boter erop, heerlijk, aten we vroeger in Rusland ook. Zijn jullie allemaal zowat klaar met oogsten? Stop de bonen in een van de plastic tassen die bij de schuur klaarliggen. We hebben nog tien minuten, dan gaan we terug naar school.'

Ik loop weer niet naast Peper, op de terugweg. Maar ook niet naast Fatima. Ik loop naast meneer Prikov!

'Meester,' vraag ik, terwijl ik de plastic zak met bonen rond mijn benen slinger en bijna struikel, 'woonde je in Rusland in een bos?'

'Zei je iets, Eva?'

Hij buigt zich naar me over.

'Woonde je in Rusland in een bos? Of op een boerderij, met een tuin waar pronkbonen groeiden?'

De meester lacht.

'Nee... Ik ben opgegroeid in Leningrad, dat nu Sint-Petersburg heet. In de grote stad. Maar veel Russen hebben een datsja. Dat is een huisje buiten, op het platteland. Wij hadden ook zo'n datsja, waar we in de vakanties en in de weekends naartoe gingen. Daar was een moestuin bij.'

47

'Had je dan geen huisdier?'

'Hè? Jawel, ik had een poes, net als jij. Maar die namen we gewoon mee. Die vond het ook heerlijk daarbuiten, net als mijn broers en ik. In onze flat in de stad was nauwelijks plaats genoeg voor ons allemaal. Mijn grootouders woonden bij ons in huis, dat is in Rusland heel gewoon, trouwens, dat was het hier vroeger ook.'

'Was dat dan niet duur?'

'Wat? O, de datsja bedoel je. Nee hoor. Mijn opa werkte als een soort agent.' De meester kijkt om zich heen. 'Bij de KGB. Later moesten we naar Nederland... Hij had onze datsja zelf getimmerd. Ik mocht een beetje helpen, de hamer aangeven en zo. Het werd een mooi huis, middenin een bos. 's Nachts als ik in bed lag hoorde ik uilen roepen...'

Negen – *devjat*

Peper staat in het fietsenhok aan haar slot te morre-
len. Ik loop naar haar toe.

'Ben je op de fiets? Wat ga je doen vanmiddag? Wat
is dat voor geheim waar je het in de tuintjes over had?
Wanneer gaan we wel naar het park?'

Peper trekt haar fiets uit het rek.

'Een andere keer,' zegt ze. 'Vergeet je bonen niet,
Zout.'

Ze fietst zomaar weg en ik kan haar niet volgen,
want ik ben lopend. Ik schop tegen een achterband
van zomaar een fiets en kijk Peper na tot ze nog maar
een stipje in de verte is. Ineens loopt de meester voorbij, met zijn tas in zijn ene, en zijn paraplu in zijn andere hand. Ik voelde hem niet eens aankomen.

'Ben jij er nou nóg, Eva?' zegt hij. 'Ga maar gauw
naar huis.'

De meester steekt niet over naar de parkeerplaats,
hij gaat rechtsaf de stoep op, hij is lopend vandaag. Ik
geef hem een kleine voorsprong, dan kruip ik achter
de dichtstbijzijnde geparkeerde auto langs en ga hem
achterna.

De meester neemt grote passen. Hij is al bij het
huis van meneer en mevrouw Post en Rocky, op de
hoek van de straat, als ik nog maar halverwege ben.
Daar verdwijnt hij uit zicht, de bocht om. Ik begin te
rennen.

Bij meneer en mevrouw Post staat het raam wijd open. In de kamer staat de tv aan, maar er is niemand. Het mandje van Rocky is leeg en de tafel en de bank ook. Door het andere raam aan de overkant van de kamer, zie ik meneer Prikov lopen. Hij is al ver weg. Die haal ik nooit meer in, tenzij...

Een goede spion verzint altijd een oplossing – en hij heeft lef. Ik sjor mijn schooltas op mijn rug, klem de hengsels van de plastic tas met bonen tussen mijn tanden en sla een been over de vensterbank. Ik blijf even hangen, en trek dan, als er niets gebeurt, het andere been ook binnenboord. Met ingehouden buik schuif ik onder het raam door.

Daar sta ik, in de vreemde kamer. Mijn hart bonst zo hard dat ik bang ben dat het elders in huis te horen is. Op mijn tenen loop ik door de kamer. Halverwege struikel ik over een kleedje. Ik bots tegen een tafeltje, er valt een vaas. De kamerdeur gaat open. Iemand slaakt een gil en een hond begint woest te blaffen...

Of ze me ziet, mevrouw Post? Ik weet het niet. Rocky grauwt naar me van heel dichtbij, ik zie zijn tanden. Ik krabbel overeind, gris mijn bonentas van de vloer, sjees naar het raam en duik naar buiten. Ik land op handen en knieën.

Ik sta op, bots tegen een mevrouw die 'Hé blijf staan' roept, duw haar opzij en begin te hollen. Drie huizenblokken verderop durf ik pas stil te staan. Ik hijg als een gek en heb overal pijn, in mijn borst, in mijn buik, mijn knieën schrijnen. Als ik opkijk rijdt er net een bus langs. De meester zit achter een raampje. Hij kijkt niet naar buiten. Bij de halte staat zijn paraplu.

Er is niemand thuis. Op de keukentafel ligt een briefje waarop staat dat mama een zaklamp aan het kopen is. Ze is vast vergeten dat oma komt... Er ligt rommel op de grond in de gang, een tas, grind uit de bak van Mimauw, een modderkleurig sjaaltje dat van Inge is. Wanneer is zij hier geweest? Aan de klink van de kamerdeur hangt een trosje onderbroeken te drogen. Die wil mama morgen zeker mee naar Wadsoog nemen.

Ik laat mijn tassen en de paraplu op de grond vallen, loop de kamer in en zet de computer aan. Ik ga het internet op. KGB, tik ik. Na even zoeken lees ik:

De KGB werd opgericht in 1953 als het 'schild en zwaard' van de communistische partij en bestond tot het einde van de Sovjet-Unie in 1991. De dienst was belast met spionage, het ontfutselen van geheime informatie uit niet-communistische landen (met name de VS), de liquidatie van niet-communistische personen (uitgevoerd door Afdeling V, de ultrageheime afdeling voor liquidatie en sabotage) en het uitbannen van anti-communistische elementen. Daarnaast was de KGB ook verantwoordelijk voor de veiligheid van partijfunctionarissen en staatslieden van de USSR.

De opa van de meester was een soort spion! Verder begrijp ik er niet veel van. Ik print de pagina uit en neem hem mee naar mijn kamer, samen met de paraplu.

Onder mijn bed bewaar ik alles wat met de meester te maken heeft. Ik heb tot nu toe drie sigarettenpeuken (merk Camel), een lege vulling van zijn vulpen, een klein krijtje en een twix-papiertje verzameld. Ik klap de paraplu open en ga eronder op mijn bed zitten. Knirps, staat er op het handvat. Dat is een gekke naam, ook voor een paraplu, vind ik.

Beneden slaat de deur. 'Eva?' roept mama. Ik antwoord niet, ik lees mijn print nog een keer. Communistisch? Liquidatie? Sabotage? Laat ik maar naar beneden gaan.

De deur van de kamer staat een beetje open. Oma zit op de bank. Ze drinkt thee uit een mok met haar pink in de lucht. Mama zit in kleermakerszit op het kleed met haar rug naar me toe. Ze draagt een zelfgemaakte wijde roze tuinbroek, dus ben ik ineens blij dat Peper niet mee is.

'Maar kindlief,' hoor ik oma zeggen, 'weet je zeker dat het een goed idee is? Op jouw leeftijd nog. En in dit kleine huisje... Gezien jullie perikelen zou ik... Ik wil me nergens mee bemoeien, hoor. Maar is het medisch gezien wel verantwoord? En wat vindt Willem er eigenlijk van?'

Waar heeft ze het over? Het lijkt wel geheimendag vandaag. Mijn moeders antwoord kan ik niet verstaan, want oma begint te hoesten. Ik raap mijn tas van de vloer.

'Hallo, hé, hier ben ik,' roep ik, 'kijk eens.'

Ik houd de zak uit de schooltuin omhoog, maar een van de hengsels scheurt, het hagelt pronkbonen op het kleed. Mama lacht en ik lach, maar oma fronst haar wenkbrauwen. Ze kan niet zo goed tegen de zooi bij ons thuis. Daar is Mimauw ook nog. Even krimpt hij ineen, dan ruikt hij aan oma's schoenen en springt op haar schoot.

'Lieve poes,' zegt oma. 'Lieve poes. O, wat lief. Lief hoor. Ben je dan zo'n lieve poes?' Ze aait Mimauw niet. Haar stem klinkt schril.

'Hij doet niets, oma,' zeg ik en aai Mimauw wel, 'niet als hij uit zichzelf bij je komt. Weet jij hoe je pronkbonen klaar moet maken? En waar hadden jullie het daarnet over?'

Ik hark de bonen bij elkaar en mama doet ze weer in de tas, waarvan ze de hengsels aan elkaar knoopt.

'Pronkbonen? Natuurlijk,' zegt oma. 'Wij noemden dat vroeger pronkerwten. Maar kun je de poes misschien eerst even, Eva? Dank je. Je brengt een pan water aan de kook, doet de bonen erin en na een halfuur...'

'Een halfuur kooktijd lijkt mij te lang,' zegt mama. 'Voor welke groente dan ook.'

Mimauw glipt door mijn handen. Ik spring op en stap per ongeluk op de tas. Alle bonen glijden weer op de grond, mama schatert, de telefoon gaat en papa komt binnen. In zijn ene hand knijpt hij de onderbroeken samen die aan de deurklink hingen. In zijn andere hand, achter zijn rug, verfrommelt hij het sjaaltje van Inge.

'Jongens,' zegt hij, 'wat een heisa weer hier. Dag moeder. Charlotte, Eva, weten jullie dat de telefoon gaat?'

Hij bukt naar oma om haar een kus te geven en propt intussen het sjaaltje in de zak van zijn jasje. De onderbroeken legt hij op de tv. Ik ren rond op zoek naar de telefoon en vind hem uiteindelijk in de gang onder de jassen.

'Met Eva?'

'Ben-schop,' roepen mijn ouders en oma vanuit de kamer, maar in de telefoon zegt niemand iets. Ik hoor ademen.

'Hallo? Met Eva Benschop. Hallo?'

Er klinkt een diepe zucht. En nog een. En nog een. Dan is het een tijdje stil en wordt er opgehangen.

'De hijger weer,' roep ik. Mijn moeder schreeuwt iets vloekerigs terug. De hijger, zoals zij hem noemt, belt nu al weken. Wie zou het toch zijn? Waarom doet iemand zoiets? Volgens mijn vader is het gewoon een gek, een onbekende gek. Volgens mijn moeder is het iemand die stiekem seks wil. Volgens mij is het een vrouw – dat hoor ik aan de adem.

Ik ga op de trap zitten en toets het nummer van Peper in. Sara neemt op. Eva is nog niet thuis, zegt ze, ze is in de stad. Met wie? Dat weet ze niet. En ook niet hoe laat ze er weer is. Ik hang op. Mimauw klimt op mijn schoot.

'Mimauw,' zeg ik, 'parouw, frrt, bowwowow?'

'Mek,' zegt Mimauw.

Ik krieuwel zijn oren. Mimauw draait zich op zijn

rug. Ik duw mijn gezicht in zijn buik. Dat vindt hij niet goed, hij klauwt met zijn voorpoten naar mijn oren. 'Ffft,' blaas ik naar hem. Peper gelooft niet dat ik met Mimauw kan praten. Ze heeft het op een keer aan Robine verteld, per ongeluk, zei ze. Daarna heeft de hele klas twee weken lang tegen me gemiauwd.

Tien – *djésjat*

In de keuken staat mama met haar hoofd in de koelkast. Ze wrijft met beide handen over haar onderrug.

'Ik heb kloterige zeurpijn, hier, boven mijn billen,'
zegt ze zonder om te kijken.

'Niet over billen praten, mam,' zeg ik. 'Ga je mijn
bonen maken?'

'Ja nee,' zegt ze en komt de koelkast uit. 'Er is geen
spek geen worst geen kaas niks, de aardappels hebben enge slierten, wat moet ik nou? Waarom komt
dat mens uitgerekend nu? Ze zit daar maar te hoesten
de hele tijd... bemoeit zich overal mee... Vanmiddag
had ik geen tijd om boodschappen te doen, ik ben de
stad in geweest. Waarom moet ik ook altijd alles alleen doen? Het is hier een zooi en ik moet mijn tas
nog pakken.'

'Waarom halen we dan niet gewoon iets,' zeg ik.
'Indonesisch of zo. Dat vindt oma heus niet erg. Ik
kan wel even naar Toko Hoek gaan als je wilt.'

Mama kijkt me weifelend aan en pakt dan haar
portemonnee.

Benauwd kijkt oma even later naar de klamme plastic
tasjes waarin het eten zit.

'Zit er ook tofoe bij?' zegt mama zonder op haar
te letten. Ze pakt de tasjes uit mijn handen. 'Tofoe is

bloedzuiverend, zegt Inge.'

Papa lacht hard en honend, zoals Farouk lachen kan. Mama doet alsof ze het niet hoort. Ze zet de tasjes zomaar op het chique witte tafelkleed, het kleed met de ingeweven figuren. Als oma er is eten we niet in de keuken, maar in de voorkamer van het 'damast' – zo heet het kleed. Andere tafelkleden hebben geen naam.

Papa schept alles wat er uit de tasjes tevoorschijn komt over in schalen. Dat doet hij voor oma, zij is dat zo gewend. Vanuit de schalen mag het eten pas op de borden. Mama trommelt met haar vingers op het kleed. Er is heel veel verschillend eten.

Papa bewaart het lekkerste voor het laatst, mama propt alles zoveel mogelijk tegelijk in haar mond en ik eet gewoon. Oma neemt nette hapjes die ze eerst goed bekijkt.

'Wat is dat voor pittige saté?' vraagt ze.

'Kambing,' antwoordt papa.

'Dat betekent geit,' zegt mama met volle mond. Oma legt het stokje neer en begint te hoesten. De kroepoek vindt ze bitter. Het toetje is spekkoek.

'Ze verzinnen toch veel tegenwoordig,' zegt oma terwijl ze met haar vorkje in de laagjes van het plakje koek prikt. Mama kijkt alsof ze wil gaan gillen. Maar papa geeft een klopje op oma's hand.

'Mams nou toch, die recepten zijn eeuwenoud,' zegt hij. 'Kijk, Eva vindt het ook lekker.'

Na het derde kopje koffie gaat oma naar huis.

'Kan ik nu dan verdomme eindelijk pakken?'

Mama rakketakt over de traptreden omhoog. Ik ren achter haar aan en hijs me door het luik de zolder op. Het is er klein. Door het bolle dakraampje, net het raampje in de boeg van een schip, is de kerktoren te zien, die dom, dom, dom, zijn laatste liedje van de dag bommelt. Mama stoot haar hoofd tegen een balk, vloekt alweer en begint met beide handen achter het gordijntje waar de koffers staan te rommelen.

'Te groot, te groot,' mompelt ze, 'te zwaar... waarom koopt je vader toch zoveel koffers, alsof hij ooit ergens... te chic... komt, alsof hij ooit wat... niet vooruit te branden, te klein, te... hé. Wat doe jij daar?'

Er zitten ogen achter de koffers, gele ogen die ons stilletjes bekijken. Mama steekt haar hand tussen de koffers en trekt Mimauw tevoorschijn. Hij bijt in haar pols, valt om, slaat zijn voorpoten om haar hand en begint met zijn achterpoten tegen haar onderarm te roffelen. Ik moet erom lachen, maar mama niet. Ze doet wel een beetje vreemd de laatste tijd.

'Die paarse weekendtas dan maar weer,' zegt ze met een zucht. 'Met die vilstiftplekken. Maar waar is die in jezusnaam? Weet jij dat?'

'Nee,' zeg ik. 'Misschien in de kelder. Pas op dat er geen torren inzitten. Mimauw en ik gaan vast naar bed hoor, welterusten mama.'

Beneden steek ik mijn hoofd nog even om de deur van de kamer. Papa zit achter de computer. Ping! Hij ontvangt net een e-mailbericht.

'Wat doe je?' vraag ik.

'O, niets,' zegt papa. Hij drukt op de muis, het

scherm verandert. 'Gewoon wat monsters vermoorden. Ga je al slapen? Ja? Welterusten.'

Ik loop naar mijn kamer en kleed me uit. Ik ben al bij mijn onderbroek als ik ineens zie dat de gordijnen nog open zijn. Ik loop naar het raam en kijk voor ik de gordijnen dicht trek nog even de donkere straat in.

Een van de geparkeerde auto's aan de overkant is niet leeg. Er zit iemand in, een vrouw met een laptop op schoot. Haar haren hangen langs haar gezicht. Ze kijkt naar ons huis alsof ze ergens op wacht. Het is alsof de vrouw mijn blik voelt, want ineens klapt ze de computer dicht, gooit hem op de stoel naast zich, start de motor en rijdt weg. Wie was dat? Ze kwam me bekend voor, die vrouw...

Elf – *adinnadtsat*

De volgende ochtend staat mama te laat op. Blazend trekt ze door het huis. Ik zit in de kamer naast papa op de bank, we bewegen ons niet. Het is alsof mama overal tegelijk is. Lades staan open, een regenjas is zoek, de nieuwe zaklamp ook, de deodorant lekt, de hijger belt tot tweemaal toe, het huis is te klein. Op het laatste moment maakt mama briefjes, briefjes voor op de magnetron, voor op de ijskast en de wasmachine, voor op de kattenbak zelfs. Briefjes waarop staat hoe alles moet en niet moet in huis. Ze zit woest te schrijven en te strepen aan de tafel.

'Ga nou maar,' zegt papa. 'Ik red me echt wel zonder jou. Eva gaat natuurlijk naar haar vriendinnetje en ik zal alles doen wat ik beloofd heb. En de was.'

Eindelijk vertrekt mama dan toch. Het regent hard buiten. Ik wuif haar na tot haar rode haar achterin de taxi niet meer te zien is. Ik ben ineens zenuwachtig. Het lijkt wel een film, zo'n film over een meisje dat haar moeder uitzwaait en dat die dan nooit meer terugkomt...

In de gang ligt Mimauw te slapen bovenop een berg jassen. Ik kniel neer en kus hem tussen zijn oren. Daarna lees ik de briefjes van mama. Onderaan het briefje op de ijskast staat met grote letters: *ps: Pronkbonen: ?!?!?!? (geen idee), er ligt een verrassing op de plank, 't was in de aanbieding.*

Ik klim op een kruk en voel tussen de pannen. Er ligt daar een zakje, een klein zakje van de banket-bakker, vol chocoladekastanjes en ander herfstsnoep. Kauwend loop ik de kamer in. Papa zit weer achter de computer.

'Papa,' vraag ik, 'met wie mail je toch steeds?'

'Mailen? Hoezo? Ik mail niet, ik speel.'

'O. Wat is dat dan voor spel?'

'Doem. Het heet doem. Je schrijft het met twee o's, doom dus, maar je zegt doem want het is Engels. Kom even zitten, dan laat ik het je zien.'

Ik trek een stoel bij. Op het scherm van de compu-ter is een donkere gang te zien, net een parkeergara-ge zonder auto's. Papa laat zien hoe je er, door op de pijltjestoetsen te drukken, doorheen kan hollen.

'Kijk. Zo schiet je, met de muis. Op alles wat be-weegt. Zie je wel? Je mag je niet laten verrassen. Daar is er één.'

Hij drukt op de muisknop, een hoekig monster spat uiteen.

'Is dit echt wat jij de hele tijd doet?' vraag ik.

'Wil je soms ook even?'

Papa schuift de muis naar me toe. Er komt een wriemelend groen veldje in beeld.

'Wat is dat?' zeg ik. 'Frunniksla?'

Papa lacht niet. Hij legt zijn hand op de mijne.

'Dat is gif. Pas op, niet op gaan staan. Niet? Niet op gaan staan, zeg ik toch.'

'Ben ik nu out?'

Maar het spel gaat weer verder. Er verschijnen drie

vrouwenfiguren in beeld, ze hebben strings aan en bh's met grote bolle borsten erbovenuit. Hun haar is blond en lang. Ze richten hun geweren op ons...

'Je moet wel uit je doppen kijken, Eva,' zegt papa. 'Vrouwen zijn ook monsters. Nou ja, we zijn nog niet dood. Alleen gewond, zie je wel, dat is dat rode spoor. Daar is de deur! Dat luik. Daar moet je door. Nee dáár. Oe, zonde.'

Ik geef hem de muis maar weer terug.

'Waar ben je dan eigenlijk naar op weg, papa?'

'Hoe bedoel je?'

'Nou, als je al die gangen door bent, en al die zalen en kamers en zo, als alle monsters dood zijn, en die vrouwen ook, wat gebeurt er dan?'

'Wat? Dan is het spel uit natuurlijk, dan heb je gewonnen.'

'Ja, maar wáár ben je dan? Buiten? En krijg je dan iets? Een prijs of zo? Of een nieuw leven?'

Papa antwoordt niet. Er is weer een monster met een bh verschenen. Ik ga voor het raam staan. De regen is nog steeds niet opgehouden. Alle auto's in de straat zijn leeg.

De bel gaat. Op de stoep staat Peper.

'Hoi,' zegt ze.

'Hé, hoi! Wat goed dat je er bent! Zullen we naar mijn kamer gaan? Wil je fristi?'

Maar Peper stapt de kamer binnen. Ze kijkt over de schouder van mijn vader naar de computer.

'Zit u bij Zonnet?' zegt ze. 'Dat is een goede provider hè, voor e-mail... Hé. Is dat de nieuwe versie van Doom?'

'Ja,' zegt mijn vader, 'ik had je helemaal niet horen binnenkomen, Eva. We waren net aan het spelen, Eva en ik. Ken je Doom?'

'Ja, wij hebben thuis heel veel games. Mijn zus heeft net een nieuw adventure gekocht, waarbij je...'

'Ja, kom je nou nog?' vraag ik. 'Hier is fristi.'

Pas na de derde keer vragen gaat Peper met me mee naar boven.

De slaapkamerdeur van mijn ouders staat open, papa heeft het bed nog niet opgemaakt. Het sjaaltje van Inge hangt over het voeteneinde. In de deur van de klerenkast zit een grote spiegel. Peper en ik gaan er samen voor staan.

'Daar zijn Eva en Eva,' grom ik. 'De monsterdoders met de magische roze drank in hun hand.'

Peper lacht niet. Ze houdt haar hoofd scheef en kamt met haar vingers door haar haar, terwijl ze zichzelf diep in de ogen kijkt. Ik laat mijn mond openvallen, beweeg mijn oren, want dat kan ik, trek een plechtig gezicht en kijk scheel. Peper lacht nog steeds niet.

'Weet je dat je in de spiegel verkeerd om bent,' zeg ik dan. 'We hebben omgedraaide ogen en onze oren zitten andersom, in het echt. Je kunt jezelf nooit zien zoals anderen je zien.'

'O ja?' Peper bekijkt zichzelf nu van opzij. 'Mag ik de kleren van je ouders eens bekijken?'

Ik doe een van de deuren van de klerenkast open.

Mijn vaders kleren hangen erachter, keurig op hangers, die hij 'knaapjes' noemt. Zijn sokken liggen als slapende diertjes opgerold in een mandje, allemaal donkergrijze en zwarte bolletjes. Peper trekt de andere kastdeur open.

'Pas op,' roep ik nog. Maar het is al te laat. Mama's kleren verlaten haastig de kast. Peper lacht.

'Wauw. Wat een maffe kleren heeft jouw moeder toch.'

Ze woelt in de berg.

'Ja,' zeg ik. 'Ze maakt ze zelf, hè.'

Ik trek een zomerjurk uit de berg, een groene met witte margrieten erop. Hij ruikt lekker naar mama. Ik doe de jurk aan. Peper pakt een oranje gevlamde jurk.

'Kijk nou,' zegt ze, 'hier komt je been helemaal uit... Staat best leuk toch? Alleen de voorkant is een beetje gek. Zo leeg.'

Ik doe een greep in papa's sokkenmandje. We steken allebei twee bolletjes voorin onze jurk. Zou ik later zulke krijgen, denk ik, of nog grotere, zoals mama? Zij heeft hele dikke, deinende. Ik trek de jurk gauw weer uit. Maar Peper kijkt trots in de spiegel en duwt met haar handen de sokken wat hoger.

'Het regent niet meer, geloof ik,' zeg ik. 'Zullen we gaan? In het hol vertel je me toch je geheim? Ik moet jou trouwens ook nog wat vertellen.'

Ik pak wat kleren van de grond en wil ze terug proppen in de kast. Dan zie ik iets liggen, achterop een plank. Een plat blauw doosje is het, van de apotheek. *Clearblue,* staat er in grote letters op. Het is al open. Ik stop het doosje in mijn zak, Peper merkt het niet. We ruimen de rest van de kleren op. Beneden doe ik het herfstsnoep dat nog over is en twee blikjes fristi in een plastic tas. We zeggen mijn vader gedag en ik kus Mimauw.

'Zullen we meteen doorgaan naar het park?' zegt Peper. 'Nu niet raar gaan lopen graag.'

'Joehoei,' zeg ik. Dat is een woord van mijn moeder.

Twaalf – *dvenadtsat*

'Joehoei,' zeg ik nog eens. Het klinkt wel lekker. 'Joe-hoei, let's go.' Nu spreek ik ook al Engels. Peper hoort het niet. Ze heeft ineens erg veel haast om in het hol te komen. Voor ik het weet zijn we de brug al over en komen we aan in het park. Het is er druk, zoals altijd in het weekend (als het niet regent), maar daar let Peper niet op, ze struint in één keer door naar de struiken en begint eronder te kruipen.

Ik blijf op het pad staan. Er komt net een meneer aan. Ik wacht tot hij voorbij is. De meneer heeft krullen en lieve ogen, hij knikt me toe.

'Ben je daar ei-hein-delijk?' zegt Peper als ik even later in het hol kruip. 'Dat duurde weer debielig lang, Zout.'

'Er kwam iemand langs, dus... Ga eens opzij? Je zit bovenop de plek waar de schatkist is begraven.'

'Joh, laat zitten die schatkist. Geef die fristi maar meteen hier. En die chocola ook. Eten we het meteen op. Hé, Zout. Ik moet je wat vertellen, weet je nog?'

Ik duw met mijn handen de takken opzij, maar kan de deken niet meteen vinden, zo goed heb ik hem de vorige keer verstopt.

'Ja, wil je het nou nog weten,' zegt Peper met volle mond, 'ik ben verliefd. Echt wel.'

'Wat?'

'Je moet niet vragen: wat, Zout, je moet vragen: op wie?'

'Op wie?'

'Ja, op wie denk je.'

'Op de hond van de buren,' zeg ik. 'Op Ad de conciërge. Op Kars van tv, op...'

'Doe eens normaal Zout, denk je dat je grappig bent. Op Farouk natuurlijk! Eergisteren tijdens de jongens de meisjes pakte hij me de hele tijd, dat viel al heel erg op, en later die dag, toen we met zijn allen...'

'Met zijn allen,' mompel ik.

'Ja, en daarna, gister dus, toen we naar de schooltuinen waren geweest, toen heb ik hem in de stad gezien, we hebben friet gegeten. En morgen komt hij langs,' zegt Peper. 'Bij mij thuis. Echt!'

'Goh,' zeg ik. 'Echt?'

Ik ben stil van schrik. Ik geloof niet dat Peper het merkt.

'We gaan trouwen later, als Farouk miljonair is en ik dierenarts, dan gaan we misschien wel in het huis naast mijn moeder wonen, we nemen drie honden, twee zwarte en een gele,' ratelt ze, 'Farouk houdt heel erg van honden, leuk hè, bouviers en hoe heet het, retrievers of zo, wist je dat hij twee broers heeft en een zus, nee? Hij heeft twee broers en een zus en...'

Er prikt iets in mijn been. Ik voel in mijn broekzak en trek met moeite een geplet blauw doosje tevoorschijn. Peper houdt plotseling haar mond. Ze trekt het doosje uit mijn handen.

'Hoe kom je daaraan? Dat is een zwangerschaps-test.'

'Ja,' zeg ik. 'Vond ik daarstraks in de kast van mijn moeder, bij het opruimen, toen jij met die sokken stond te...'

'Van je moeder? Krijgt die dan een baby?'

'Weet ik niet,' zeg ik. 'Mij hebben ze niets verteld.'

'Wat raar,' zegt Peper. 'Wist je trouwens dat Robine het al heeft?'

'Wat?'

'Hét. Je weet wel.'

'Nee, wat dan?'

'Laat maar. Als je dat geeneens weet.'

Peper trekt het pakje van de zwangerschapstest open en haalt er een pen uit, een witte plastic pen met twee raampjes erop. Ik lees de gebruiksaanwij-zing. Je moet over de punt van de pen heen plassen en dan even wachten. Achter de raampjes komt dan een blauwe streep, als je tenminste zwanger bent. Als je niet zwanger bent komt er maar achter een van de raampjes een streep. Peper kijkt me aan. Ik kijk haar aan.

Ze geeft me een zetje en ik kruip met moeite dieper de struiken in en doe mijn broek omlaag. Het is moei-lijk richten en ik hoef eigenlijk niet... Er prikt een tak in mijn billen.

'Hoe gaat het?' roept Peper na een tijdje. 'Ben je klaar? Zout?'

'Joehoei,' zeg ik en hijs mijn broek op. De pen is erg nat geworden. Ik schuif de dop er weer op, veeg mijn vingers af aan een blaadje en kruip terug naar Peper. We buigen ons over de pen. Achter een van de raampjes kruipt langzaam een dun blauw lijntje tevoorschijn.

Ik ben dus niet zwanger. Is me dat lachen.

Dertien – *trinadtsat*

Papa is er niet als ik thuiskom. Ik ga met Mimauw op mijn knieën op de grond in de gang zitten. Er is veel om over na te denken. Ik heb in korte tijd een hoop geheimen ontdekt. Peper en Farouk, nou ja, daar moet ik eigenlijk maar niet aan denken. Maar mama, mijn moeder? Er zaten ooit twee van die pennen in het doosje... Zou zij wel twee streepjes hebben geplast?

'Hallo, hallo.'

Daar is papa al met een plastic tasje dat hij blij omhooghoudt.

'Friet van Piet!', roept hij. 'Eindelijk weer eens gewoon dikke, vette friet. En appelmoes uit een potje. Dat is veel lekkerder dan als mama het zelf maakt, hè? Niet aan haar vertellen hoor, dat is ons geheimpje.'

Ik durf niet te vragen naar de geheimpjes die hij met mama heeft.

Na het eten gaat hij aan de tafel in de kamer zitten met zijn belastingpapieren en zijn computer. Hij zegt dat ik hem niet mag storen. Hij is stukken beter in streng zijn dan mama. Ik plof op de bank en knip de televisie aan, maar ik kijk niet echt. Krijg ik een zusje? Of een broertje misschien? Wanneer gaat dat dan gebeuren? Waarom weet ik er niets van? En is het leuk?

Het is een vreemde ontdekking dat mijn ouders een geheim hebben. Ik wist eigenlijk niet dat het kon. Ik oefen natuurlijk wel op ze, met spioneren en zo, maar dat meende ik niet zo serieus... Zou mama over de baby vertellen tijdens het herijk-weekend? Zou ze over mij praten? En wat doet Inge intussen?

De telefoon gaat steeds maar niet. Zelfs de hijger belt niet.

'Pap? Kan ik mama opbellen?'

Hij kijkt op.

'Wat?'

'Kan ik mama bellen?'

'Nee helaas, ze is haar mobieltje vergeten. En je mag alleen in noodgevallen naar het centrum bellen. Is het een noodgeval? Ik denk het niet, hè? We hebben gegeten, niet gezond zoals zij dat graag ziet, maar toch, de kattenbak is verschoond, we weten hoe de magnetron werkt, we hebben niets gebroken, we zijn niet ziek of dood, ik denk dat je geduld moet hebben, Eva.'

'Het was niet zo leuk vandaag in het park,' mompel ik. 'Peper is ineens op Farouk.'

Papa lacht alsof ik iets grappigs heb gezegd.

'Farouk? Wie is dat?'

'O niets. Zomaar een jongen. Zomaar een jongen uit onze groep. Ik had niet eens echt door dat ze hem leuk vond... Hé, mag ik heel even op de computer?'

'Kom dan maar.'

Papa staat op en schuift zijn papieren opzij. Ik ga zitten en klik het internet aan. *Pronkbonen* tik ik in.

Daar moet de computer even over nadenken. *Pronk-bonen is een snijbonensoort*, lees ik dan, *grover dan de snij- en spekbonen. De schil is iets ruw, met op de buik- en de rugnaad vorming van een draad. In een ouder stadium bevat de peul-wand een perkamentachtig vlies dat niet gaar kookt. De zaden zijn wit of rood.*

Dan tik ik *Rusland* in.

Even later weet ik dat Rusland het grootste land ter wereld is. En dat er zeeën, meren, toendra's, steppen, taiga's en naaldbossen zijn.

Op sommige plekken is het altijd koud. Op andere af en toe ook warm. Er wonen veel dieren: lemmin-gen, woelmuizen, poolvossen, rendieren, sneeuwha-zen, wolven, uilen, beren en soesliks. Mensen wonen er heel weinig.

Daar springt Mimauw op mijn schoot. Hij geeft het toetsenbord een kopje. Zou je een soeslik als vriend willen, vraag ik hem in gedachten, een gevlekte grond-eekhoorn? Hij kijkt me aan en knijpt zijn ogen toe. Grrraag, snort hij.

Veertien – *tsjetyrnadtsat*

Als ik de volgende dag wakker word regent het weer. Papa kauwt in de keuken op yoghurt met muesli. Na het ontbijt moet hij weer verder met zijn belastingen. 'En daarna ga ik de zolder opruimen.'

'De zolder opruimen? Hoezo? Daar is het toch een zooi?'

'Daarom juist. Mama heeft het me gevraagd. Je kunt wel vast beginnen, als je wilt.'

Ik vlucht naar mijn kamer. Maar ik heb mijn bibliotheekboeken uit, ik heb geen zin in tekenen en ik weet in mijn eentje niet hoe koekjes bakken moet. Wat moet ik nou gaan doen? Oma neemt de telefoon niet op. Tv-kijken mag ik niet, overdag.

Mama belt de hele tijd niet. Peper heeft Farouk op bezoek en belt ook niet. Ik pak een papier, ga onder de paraplu van de meester op mijn bed zitten en begin een geheime brief.

Geachte mevrouw Peper, schrijf ik, *deze brief van een onbekende wil een waarschuwing zijn. De meest verschrikkelijke dingen kunnen gebeuren als je met een jongen gaat. Dat kan enorm pijn doen. Wendt u voor raad en steun tot uw beste vriendin, zij...*

De telefoon! Ik neem op voordat papa dat kan doen.

'Met Eva?'

'Goedemiddag, mevrouw Benschop. Hebt u een momentje tijd?'

Het is mama niet. Het is de hijger ook niet. Het is een mannenstem die een beetje verkouden klinkt.

'Eh, ja hoor,' zeg ik, 'maar moet ik mijn vader niet even roepen? Met wie spreek ik?'

'Nee, nee, nee hoor,' zegt de stem, ook een beetje twijfelend lijkt het wel, 'dat is niet nodig. Dit is de KPN. Ja de KPN. Van de telefoon dus. Ja. Kunt u ons even helpen met een test?'

'Een test? Ik ben nog maar een kind, hoor.'

Nu hoor ik een vreemd gerommel, alsof de lijn stoort, en daarna een tijdje niets.

'Een kind, zegt u?' klinkt het dan, hard ineens. 'Dat geeft niets. Het gaat om het volgende. Het zit zo: wij zijn de lijnen aan het nalopen. Of ze het wel goed genoeg doen. Doet u even een haan na, alstublieft.'

'Wat?'

'Een haan, graag. Een hanengeluid. Doet u dat even.'

'Een haan?'

'Ja, doet u even een haan na, dan kunnen wij kijken of uw telefoon het doet.'

'Maar u praat toch tegen mij?'

'Hè? Ja. Jawel. Klopt. Klopt helemaal. Maar een haan is beter. Voor om het geluid te checken. Dus kan het even?'

Er is alweer een soort gereutel, diep in de telefoon. Ik kijk om me heen.

'Ku-ke-le-ku,' fluister ik in de hoorn.

'Deed u daar nou een haan na? Was dat een haan? Mevrouw Benschop, bent u daar nog? We konden het niet goed horen. Nog een keertje graag.'

Ik twijfel opnieuw.

'Kukeleku!' schreeuw ik dan.

'Kijk nu eens achter je of er een ei ligt!'

Ik hang op. Maar ik hoor in de verte nog net een meisje lachen. Het is een tuffend lachje, als van een treintje uit een kleinekinderfilm.

Vijftien – *pjatnadtsat*

Peper staat op me te wachten de volgende dag, alsof er niets gebeurd is. We lopen samen naar school. Ik zigzag niet. Dat doe ik niet meer. Peper zegt niets over het telefoongesprek met de haan, niets over Farouk die mij voor de gek hield waar zij pal naast zat... Ze ziet er anders uit dan anders, ze glanst zowat. Ze steekt haar vinger in de lucht. Er zit een dun zilveren ringetje om. Met een doodskopje erop.

'Van Farouk gehad,' zucht ze. 'Had hij in zijn zak zitten. Lief hè, speciaal voor mij.'

'Hoe weet je dat nou?'

'Hoe weet ik wat?'

'Dat het speciaal voor jou was. Misschien had hij het zomaar bij zich. Of misschien had hij het net op straat gevonden. Waarom zit er anders een doodskopje op.'

Peper kijkt me kwaad aan.

'Het is geen doodskopje. Het is een hartje, zie je dat niet?'

Ik kijk nog eens naar het ringetje. Het is wél een doodskopje. We lopen verder en zeggen niet veel meer.

Boven de schooldeur hangt een bord, een groot bord met dansende letters in allerlei kleuren. *Later... als ik groot ben!* staat erop. Hoera. Vandaag begint het toekomstproject.

In de gang boven, bij ons lokaal, staat Farouk zijn jas uit te trekken. Peper wordt paars. Farouk kijkt op. Hij grijnst en kraait, keihard, het schalt over de gang. Peper lacht. Hij lacht ook.

Als we het lokaal binnengaan stoot Peper me aan.

'Goede grap toch?'

'Hm,' zeg ik en ga snel op mijn plaats zitten.

De meester is niet veranderd. Hij heeft zijn bruine jasje aan, een jasje dat hij vaak draagt, precies in de kleur van zijn haar en zijn snor. Hij begint enveloppen uit te delen.

'Het is de uitslag van de oefentoets,' legt hij intussen uit. 'Geef de brief thuis aan je vader of moeder, ja? Jullie hebben het allemaal goed gedaan jongens, en twee van jullie presteerden zelfs uitzonderlijk. Ik ben een trotse meester. Een héél trotse meester.'

Ik zie dat Fatima stralend rechtop gaat zitten, maar zelf wil ik wel onder de tafel kruipen. We zijn niet de enigen die snappen wie de meester bedoelt. Volgens mij is het Robine die ik 'vuile stuudjes' hoor mompelen. Ik weet wel zeker dat het Farouk is die 'rooie, professor – gatver – rooie, professor – braak, braak, braak' rapt, achterin de klas. Peper kijkt me alweer kwaad aan. Ik doe de envelop in mijn tas.

We krijgen papier en kleurpotloden, om een tekening van de toekomst te maken. Peper begint meteen. Ze tekent een bruid met een sluier en een bruidegom met zwart haar, en een cameraploeg die het paar aan het filmen is, maar ze stopt steeds met kleuren om naar haar ringetje te kijken.

Ik heb geen idee wat ik moet tekenen. Uiteindelijk kleur ik een vraagteken – ontzettend duf. Meneer Prikov pakt zijn accordeon.

'Ik zal een liedje uit Rusland voor jullie spelen. Teken maar lekker door intussen. Het gaat over een jongen die sigaretten verkoopt.'

Ik word huilerig van de muziek. Nog huileriger dan ik stiekem al was. De meester heeft zijn ogen dicht terwijl hij speelt. Hij heeft lange wimpers, die op zijn wangen liggen.

In de pauze sta ik bij het klimrek. Alleen. Peper loopt hand in hand met Farouk over het plein heen en weer. 'Dat snap je toch zeker wel, Zout,' heeft ze gezegd. 'Dat hoort zo als het aan is, dat doet iedereen.'

De meester praat met de juffen bij de deur en kijkt niet eens mijn kant op, al doe ik mijn uiterste best hem naar me toe te denken. Ineens staat wel Fatima naast me. Die wil vast over de uitslag van de toets praten.

'Weet je,' zeg ik snel, 'als ik zou willen, dan liep ik zo tegen die muur omhoog.' Ik wijs naar de school. 'Dan ging ik daarboven in de dakgoot staan. Maar ja, mijn ouders denken dat het gevaarlijk is. Dus het mag niet. Maar ik kan het wel. Geloof je me? Het is namelijk echt waar, dus.'

Fatima kijkt me aan en knikt.

De dag stroomt vol gekukel. Iedereen weet algauw van het telefoongesprek, ze doen allemaal mee. Zelfs

Peper kraait zo af en toe zachtjes. Haar ogen zeggen er sorry bij, als ze me toevallig aankijkt, maar dat helpt niet veel.

Farouk en zij zijn de hele tijd samen. Ze delen hun overblijfeten, hij vreet haar mooie roze trommel leeg, zij peutert partjes appel uit zijn plastic zakje. Ze ruilen van jas in de pauze en laten dat de rest van de dag zo. Farouk schittert in Pepers zilveren jas en ik zie haar smelten tot ze zowat onherkenbaar is.

Als we na een lange dag de trap af lopen – eindelijk is de laatste bel gegaan – pak ik Pepers schouder beet. Farouk loopt aan haar andere kant. Onderaan de trap blijven we op een rijtje staan.

'Ik ga straks shoppen,' zegt Peper, 'Met Sarah. Dat is mijn zus van zeventien.'

Alsof ik dat niet weet.

'Ik ben boven iets vergeten,' stamel ik. Ik laat los en loop de trap weer op. Peper kijkt niet om.

Thuis is het erg stil en erg opgeruimd. Mimauw slaapt op de bank, papa zit op zijn werk en mama is nog niet terug van Wadsoog. Straks gaan we haar van het station halen.

Ik zet de computer aan. Wat zou papa's wachtwoord zijn? Van zijn e-mailprogramma? *Eva*, probeer ik. Dan de voornaam van mama: *Charlotte*. *Mimauw*. Papa's geboortedatum. Mijn geboortedatum. De voornaam van oma. Het woord *baby*... Maar niets werkt.

Ik geef het op en ga weer verder over Rusland lezen, op het internet. Er zijn plaatjes van een soort sprookjespaleis aan het water. Het bestaat echt, in Sint-Petersburg. Sint-Petersburg; dat is de stad waar meneer Prikov vandaan komt! Zou hij wel eens in dat paleis zijn geweest? Vroeger woonde de tsaar (de keizer van Rusland) erin, lees ik, maar nu is er een museum... Ik vind dat de tsaar er veel minder slim uitziet dan de meester.

Ik klik iets anders aan, over eten en drinken. Russen houden van zuur eten, van augurken en uien, net als ik. Ze maken ook paddenstoelen in. Ik houd óók heel erg van paddenstoelen! Ze eten bietensoep met room – of ik dat lust weet ik niet...

Ze hebben houten lepels en hele leuke poppetjes die in poppetjes passen die dan weer in poppetjes passen, ook van hout gemaakt. Ze drinken wodka – een soort wijn, denk ik – en thee uit een rare theepot in de vorm van een peer, met een kraantje eraan. Dat heet een *samovar*. Ik oefen het woord zacht voor me uit. Samovar, samovar; als je het snel en vaak achter elkaar zegt, klinkt het als een poes die spint.

De computer zoemt, ik blijf wel een uur lezen. Al die tijd blijft het stil in huis, zelfs de hijger belt niet. Rusland is een fijn land, vind ik. De mensen op de foto's lachen. Ze dragen grote bontmutsen waardoor je hun haar niet kunt zien.

Er zijn ook sites in het Russisch, met allemaal tekentjes, die ik niet lezen kan. Net geheimschrift!

Zestien – *sjéstnadtsat*

Papa komt met zijn jas aan de kamer binnen.

'Ben je klaar, Eva? We moeten gaan.'

We nemen de bus en komen veel te vroeg op het station aan. We kopen wat te drinken. Met onze blikjes in de hand stappen we op de roltrap naar het perron. Daar wachten we op de trein met mama erin, de cola prikt in mijn neus.

'In Rusland hebben ze ook veel treinen,' vertel ik. 'Het spoor is er wel een miljoen kilometer lang.'

Papa kijkt me verbaasd aan.

'Hoe weet jij dat nou weer. Wacht even...'

Zijn ogen schieten naar het bord met de vertrektijd van de trein. Hij moet steeds kijken of het nog wel klopt, of mama's trein er nog steeds op staat. Ook kijkt hij telkens op zijn mobieltje, of er geen nieuwe sms-jes zijn.

Eindelijk komt de bolle gele neus van de trein in de verte aanrollen. Ik laat mijn bijna lege blikje in de afvalbak vallen.

Het duurt een tijd tot de trein echt stilstaat. Sissend schuiven de deuren open. Allerlei mensen stappen uit en drommen naar de roltrap. Een man met een baard komt voorbij, jongens met rugzakken, een buggy met een slapend kind, een dame met een hondje. Waar blijft mama nou? Papa houdt me bij mijn schouder vast. Hij is bang om me kwijt te raken.

'Joehoei, Eva? Pimmel?' Plotseling staat mama achter ons, alsof ze uit de afvalbak is komen kruipen. Even herken ik haar niet. Haar ogen gloeien en ze heeft haar haren in vlechten, net Pippi. Veel dikker dan drie dagen geleden is ze niet... Tot mijn grote schrik duikt achter haar het lange bleke gezicht van Inge op.

'Hallo, hallo,' zegt ze glimlachend en veegt haar haren achter haar oren. 'Verrassing.'

'Hé,' zegt mijn vader verschrikt, 'ben jij er ook bij?'

'Ja, Inge komt bij ons logeren,' zegt mijn moeder. 'Voor even. We leggen het later wel uit.'

Ik baal, en papa duidelijk ook. Hij buigt zich zonder iets te zeggen naar de tas die bij mama's voeten staat. Er zitten witte kringen op het bruine suède van haar laarzen, zeewaterkringen. Inge heeft ondanks de kou lange blote tenen in sandalen. Papa tilt de tas op en draait zich om. Hij beent naar de roltrap, Inge draaft achter hem aan, ze kan hem bijna niet bijhouden. Ik pak een slip van mama's jas.

'Heb je het wel leuk gehad, mam? Waarom is Inge er?'

'Wat? O ja, heerlijk. Fantastisch, geweldig. We deden oefeningen waarbij je een dier moest kiezen dat op je leek, ik was een roodborstje en Inge? Een ekster, geloof ik. Inge is een beetje in de war, Eva. Ze houdt van iemand die niet, of niet genoeg... ik weet het ook niet precies. Zul je lief voor haar zijn? Ja? Het is maar tijdelijk, hoor. Kom, we raken je vader nog kwijt, ik zie hem nou al nergens meer. Nu niet raar gaan lopen graag, Eef. Opschieten.'

We stappen op de roltrap. Ik staar naar de mensen op de andere roltrap, die omlaag schuiven terwijl wij omhoog glijden. En ineens staat hij ertussen.

'Meneer Prikov!' roep ik. 'Meester?'

Hij kijkt om. Ik zwaai en hij zwaait terug, lachend, zijn arm uitgestrekt in de lucht. Zijn andere arm ligt om een nek. Ik val bijna. De roltrap is ineens afgelopen. Al struikelend vang ik nog net een glimp op van de vrouw naast de meester. Haar haren hebben de kleur van Pepers haar.

In de grote hal van het station is het kouder dan beneden op het perron.

'Kom nou Eva,' zegt mama, 'schiet toch op, we missen de bus nog, je kent je vader toch? Pimmel! Inge! Wacht nou even. Pimmel! Pim-mel!'

Er kijken allerlei mensen om. Op een drafje halen we ze in.

'Inge, gaat het wel?' puft mama. 'Joehoei zeg, kunnen we niet beter met de volgende bus?'

Maar papa dendert de trap naar het busstation al af. De bus staat, afgeladen vol, brommend bij de halte klaar. We zijn nog net op tijd. Ik hijs me naar binnen en wring me door de dicht opeengepakte mensen. Halverwege de bus klem ik me vast aan een paal. Papa staat met Inge ergens helemaal achterin, mama is voorin blijven hangen, op het trapje bij de chauffeur. Het is net alsof ik alleen in de bus ben, alsof ik niet bij ze hoor. De jas van de meneer naast me ruikt naar kinderboerderij. In een bocht stapt een mevrouw met haar hoge hak op mijn voet. Ze zegt geen sorry.

De mensen in de bus kijken voor zich uit alsof de anderen er niet zijn. Ik heb geen idee wat ze denken. Alleen een klein bruin jongetje met haartjes als een pannensponsje bovenop zijn hoofd kijkt vanaf de schoot van zijn vader naar me op en lacht. Ik lach verstrooid terug. Heeft de meester een zus?

We komen thuis. Ik bel Peper op om te vragen of ze weet of de meester een zus heeft, maar krijg steeds het antwoordapparaat, ze is zeker nog in de stad met Sarah. Hoop ik, hoop ik. Als ze nou maar niet weer iets met Farouk aan het doen is.

Papa laat de schone zolder zien.

'Mooi,' zegt mama. 'Veel ruimer dan je zou denken hè, zei ik het niet? Jij kunt vanavond hier slapen, Eva, dan kan Inge in jouw bed.'

'Maar...' begin ik.

'Niet zeuren.'

Inge in mijn bed? Ik moet bijna kotsen. Mama gaat zomaar douchen – dat doet ze normaal nooit om etenstijd – en daarna vertrekt ze met nat, nog druppend haar naar Toko Hoek.

'Ik snak gewoonweg naar Indisch eten,' roept ze, 'joehoei, ik ben weg, hoor. Loop je even mee, Inge?'

Mama eet met mes en vork. Ze smijt nergens mee en geeft geen kik. Het is heel gek. Ik wist nog niet dat je gemopper en gevloek kon missen.

'Mam?'

Ik probeer niet te zien dat Inge, die ineengedoken op Mimauws krukje zit, opkijkt – alsof ik iets tegen háár zeg.

'Ja?' zegt mama.

'De pronkbonen zijn er nog.'

Mama knikt.

'Morgen zal ik ze roerbakken, of zo. Misschien weet Inge wel een recept... Ga je gauw naar bed, Eva? Het is al laat. Papa heeft het al opgemaakt.'

Ik pak mijn schooltas en klos de trap op. En dan nog een trap. Ik poets mijn tanden niet, ik was me niet. Ik kruip in de slaapzak die uitgespreid op een kampeermatje voor me klaarligt en ga voor me uit liggen staren. Alles gaat weer anders dan ik had gedacht. Zou mama me ooit nog vertellen wat er met haar aan de hand is? En gaat ze me ooit nog eens vragen hoe het eigenlijk met mij gaat? Mijn voeteneinde is leeg. Mimauw is buiten sinds Inge er is, en wil niet binnenkomen.

Eindelijk komt mama boven.

'Ik kom je even welterusten... Wat is er? Huil je?'

Ik vertel haar alles, nou ja, bijna alles. Van Peper en Farouk. Van het gekukel in de telefoon en van het doodskoppenringetje en van de oefen-Cito toets. Ik haal de envelop uit mijn tas. Ze scheurt hem open en leest de brief.

'Nou,' zegt ze, 'daar mag je trots op zijn, hoor. Hé. Echt. Je vader en ik zijn... Eva. Luister nou eens naar je ouwe moeder.' Ze pakt mijn hoofd met beide handen beet. 'Lieverd. Wees nou niet verdrietig. Zo gaat dat met vriendinnen, als er mannen in het spel zijn. Of jongetjes. Daar moet je niet boos van worden. Laat Eva nou maar. Ze mag toch best wat geheimpjes voor je hebben? Jij vertelt haar toch ook niet alles?'

'Welles,' zeg ik.

Mama lacht, terwijl er niets te lachen valt. Ze aait me over mijn hoofd en mummelt iets over mijn prachtige haar.

'Alleen grote mensen vinden rood haar mooi,' zeg ik boos. 'Krijg jij een baby?'

'Hoe weet jij dat?'

Ze kijkt me stomverbaasd aan. Ik voel me ineens wat beter.

Zeventien – *sjémnadtsat*

'De baby is nog heel klein,' vertel ik de volgende ochtend aan Peper. 'Mijn vader is ervan geschrokken,
zegt mijn moeder, hij moet nog wennen aan het idee
dat hij nog een kind krijgt. De baby komt trouwens
pas in de lente. Hij moet nog armpjes en beentjes krijgen. Soms lukt dat niet, dan gaat de baby dood, maar
dat is dan niet zo erg, want hij was toch mislukt, zei
mijn moeder. Toch wou ze daarom, voor de zeker-
heid dus, even wachten met aan mij te vertellen dat...
hé, luister je wel?'

Peper draait aan het ringetje om haar vinger. Ze
heeft nieuwe schoenen aan, zie ik opeens, hele andere dan ik aan mijn voeten heb, prachtige gympen met
felgroene zolen. Er staan rode panters op de zijkant.

'Leuk,' zegt ze dan ineens. 'Dus je krijgt toch nog
een zus. Of een broer. Ik moet op bijles van mijn moeder, dat komt door die citotoetsbrief. Hé, gaan we
morgenmiddag naar de jeweetwel?'

'Ja,' zeg ik blij en een beetje verbaasd, 'ja natuurlijk, meteen uit school?'

We hebben gymnastiek. Niet van de meester, die
geeft geen gym, maar van mevrouw Fiers, die precies
op een man lijkt. Meestal moeten Peper en ik vreselijk
lachen, de hele les lang, maar nu doen we paaltjes-
voetbal en heeft Peper het te druk met haar paaltje

beschermen tegen de aanvallen van de jongens, vooral van Farouk natuurlijk. Ik schop bijna meteen mijn
eigen paaltje om. Mevrouw Fiers denkt dat ik het expres doe. Ik moet op de bank gaan zitten.

Na de les is mijn hemd weg. Ik heb het op de bank
gelegd naast mijn andere kleren, dat weet ik zeker.
Maar nu is het verdwenen. De bank is leeg. De vloer
onder de bank is geel, tegeltje na tegeltje. Ik zoek
overal. Ik hoor gegniffel terwijl ik rondspeur. Farouk
kraait. Andere jongens beginnen ook te kukelen, en
Robine, die bij de deur staat, valt in...

Ineens zie ik dat zij wél dezelfde schoenen als Peper aanheeft, maar dan met oranje zolen en paarse
panters. Naast haar voeten staat haar rugzak op de
grond. Het voorvak van de rugzak is bobbelig, alsof er iets in geprop zit... Maar ik zeg niets, ik ben
bang dat ik ga huilen. Uiteindelijk trek ik mijn trui
aan over mijn blote buik en loop als allerlaatste de
kleedkamer uit. Alle anderen zijn allang naar buiten;
Peper ook.

Ik sukkel door de gang waar de lokalen van groep
een, twee en drie zijn. Het hangt er vol knutselwerk-
jes: raketten en droomkastelen, gemaakt van wc-rol-
letjes en ander afval. Ik bekijk ze één voor één. Mijn
buik onder mijn trui jeukt.

Buiten zie ik Peper nergens. Dan gaat de bel alweer
en komt ze met Farouk het fietsenhok uit. Haar gezicht is rood. Het zijne ook. Ze lachen op een vreemde manier, een beetje trots lijkt het wel.

Thuis trek ik de deur van de koelkast open. Stank slaat me in het gezicht. De groentela ligt vol prut. Pronkbonenprut. In de kamer op de bank zit Inge een boek te lezen. Ze kijkt op en glimlacht naar me.

Achttien – *vosjémnadtsat*

Peper heeft stiften meegenomen naar het geheime hol.

'Kijk,' zegt ze en scheurt een bladzijde uit ons geheime hol-schrift, 'we gaan een liefdesbrief maken. Ik voor Farouk en jij voor, nou ja. Oké?'

Ik pak een rode stift uit het etui, maar blijf zitten kijken naar wat Peper doet. Ze kleurt grote roze harten, in elke hoek van het papier een. Er komt een paarse rand omheen en een krans van gele sterretjes. Ze werkt volgens een plan, lijkt het wel. Ik zet een streepje op de zool van mijn schoen.

'Begin je niet?' vraagt Peper.

'Neuh,' zeg ik. 'Wat moet ik schrijven dan? Wat schrijf jij?'

'Nou, gewoon.'

'Hoezo weet jij hoe dat moet, zo'n brief?'

'Van Robine gehoord.'

'Wat?'

'Van Robine gehoord. Ben je doof, Zout?'

Peper pakt een oranje stift en kleurt verder.

'Hoezo dan?'

'Nou gewoon, zij heeft het toch aan met Glenn, wist je dat nog geeneens, iedereen weet het allang.'

Glenn is de beste vriend van Farouk. Ik heb ineens het gevoel dat ik een heel ijsje in één keer heb doorgeslikt.

Als de hele zool van mijn schoen gestreept is, is Pepers liefdesbrief af. Ze haalt een envelop uit haar rugzak, een roze. Ze kijkt me aan.

'Zou hij roze stom vinden?'

'Tja,' zeg ik, 'dat kan. Ik weet het niet. Ik ken Farouk niet zo goed, hè.'

'Nee. Nee, dat is zo... jij weet niets van jongens. Nou ja, het moet maar. Ga je mee de brief bezorgen?'

Onze fietsen staan tegen het bankje voor de struiken. We stappen op en fietsen het park uit. Ik neurie een liedje dat de meester ons geleerd heeft, het Russische liedje over de jongen met de sigaretten, ik voel me niet lekker. Farouk woont ver weg.

'Daar op dat pleintje is het,' zegt Peper plotseling. 'Dat denk ik tenminste. Hoe heet het hier? Van Vriesweg? Ja, dan moet het daar zijn. Wacht even, Zout.'

Ze stapt af en ik stop naast haar. Ze grijpt mijn arm en kijkt om zich heen.

'Weet je,' smiespelt ze. Ik buig me naar haar over. 'Weet je... Farouk en ik hebben gezoend. Echt.'

'Gezoend?'

'Ja, je weet wel. In het fietsenhok tijdens de pauze na gym gister, en toen na school weer.'

'Yuk,' zeg ik. 'Blègh.'

'Dat is anders heel normaal. Robine en Glenn doen het ook.'

'Mij lijkt het goor.'

'Dat komt omdat jij kinderachtig bent. Ja, sorry hoor, dat is toch zo. Met al die verzinsels altijd. Jij bent niet helemaal normaal.'

91

'Je bent zelf niet normaal,' zeg ik boos. 'Spuug van iemand anders in je mond, gatver.'

Peper kijkt me kwaad aan.

'Blijf maar hier. Ik ga wel alleen. Je hoeft al niet meer mee hoor, E-va. Ik heb toch nooit wat aan jou. Je weet nog geeneens wat verliefd zijn is...'

Ik stap op en fiets weg, zomaar een zijstraat in. Ik kijk niet om. Of eigenlijk kijk ik wel om. Het is Peper, die niet omkijkt.

Ik fiets zo hard dat de tranen over mijn wangen lopen. Ik sla een hoek om en zoef langs een laan, rijd door rood, zwenk tegen het verkeer in een plein over, een winkelstraat door... Mijn hoofd bonkt. Vlekken voor mijn ogen. Rotpeper. Rotpeper.

Ineens ben ik zomaar in de straat van mijn oma. Daar is nummer veertig al, daar woont ze. Ik rem keihard, val zowat van mijn fiets, hijs mezelf de stoep op en kijk naar binnen. Oma zit met een boek voor zich aan tafel, kaarsrecht op haar stoel. Ik laat mijn fiets tegen het hek vallen, loop door het voortuintje en bel aan. Oma kijkt verbaasd op.

'Meestal houd ik niet van verrassingen,' zegt ze als ze de deur opendoet. 'Maar deze vind ik wel aardig.'

In de gang ruikt het zoals het altijd ruikt in deze gang. In de kamer tikt de klok. Ik mag twee koekjes en niet meer. De thee is bitter. Eén schepje suiker is zat, volgens oma.

'Zo, kindlief,' zegt ze, 'nou moet je me eens vertellen hoe je hier zo plotseling komt.'

'Ikke...' zeg ik aarzelend, 'ik was op weg naar iemand uit mijn klas die hier in de buurt woont. Maar hij... was er niet. Niet thuis. Dus ging ik maar weer weg. En toen zag ik jouw straat plotseling, dus, mag ik even in het fotoboek kijken?'

Als ik bij oma ben kijk ik altijd in het fotoboek. Oma vertelt bij elke foto een verhaal, altijd hetzelfde verhaal, dat is fijn. Maar nu moet ze eerst een hele tijd hoesten. Ik wil niet aan Peper denken, dus begin ik maar vast te bladeren. Voor in het boek staan een paar plaatjes van oma als klein meisje, met strikken. Je kunt niet zien wat voor kleur haar ze had, net alsof ze toen al grijs was.

Ik blader door tot ik bij de trouwfoto's ben. Oma als bruid. Ze kijkt wel lief op die plaatjes, maar ze heeft een maf hoedje op. De man naast haar kijkt op elke foto alsof er iets scheef zit in zijn keel. Ik heb mijn opa nooit gekend.

'Was jij toen heel verliefd, oma? Zoenden jullie ook?'

Oma veegt haar mond af met een zakdoekje.

'Wat zeg je nou? Verliefd? Zoenen? Nee, welnee. Dat is meer iets voor moderne mensen hoor, die viezigheid. Hoe gaat het met je moeder?'

'Goed wel, geloof ik,' mompel ik. 'Jij wist al dat ze een baby krijgt, hè. Kan ik hier komen logeren?'

'Logeren? Dat zal moeilijk gaan, Eva. Waarom?'

'Inge is er. Ze werd ziek op Wadsoog, geloof ik. Mama zegt dat we haar moeten helpen, dat ze de weg kwijt is, dat ze van iemand houdt die er niet is, of zo.'

'Ach nee,' zegt oma, 'en nu heeft Charlotte dat mens in huis genomen? In haar toestand?'

Ze hoest weer.

'Ben je nou nog steeds ziek?' vraag ik als het eindelijk weer stil is.

'De ouderdom hè, zo gaat dat. Binnenkort moet ik voor het zoveelste onderzoek naar het ziekenhuis. Ze willen me daar waarschijnlijk een tijdje houden, om me eens goed vanbinnen te bekijken. Soms zou ik wel willen dat ik de tijd stil kon zetten, hoor, en...'

'Ja,' roep ik, 'ja, dat heb ik nou ook altijd.'

'Jij? Maar Eva, doe niet zo gek. Jij hebt nog een heel leven voor je. Het gaat toch wel goed op school?'

Negentien – *djevjatnadtsat*

Zoenen is viezigheid, viezigheid, viezigheid, oma heeft het zelf gezegd. Maar mama vindt zoenen niet vies. Ze zit met Inge aan de keukentafel. Mimauw slaapt, opgerold op zijn krukje.

'Zoenen is heel gewoon,' zegt mama, 'dat doen mensen, hè Inge, dat doen mensen als ze elkaar lief vinden, of aardig, of zomaar, voor de lol... Maar Eva is er wel vroeg bij, ik deed dat zelf pas op de middelbare school. De tijden veranderen. Gelukkig maar. Aardig van je, dat je bij oma langsging. Hoe oud is Eva eigenlijk? Twaalf?'

Ik knik. Mama grinnikt (alsof dat grappig is), Inge staart door het raam naar buiten. Ze glimlacht minder dan vroeger, lijkt het wel. Hoe oud zou Farouk zijn? Ik druk mijn gezicht in de vacht van Mimauw.

'Barouw?' zegt hij verbaasd.

'Eefje,' zegt mama. 'Ik moet over een kwartier bij de vroedvrouw zijn, de baby'tjesdokter, bedoel ik. Ga je mee? Inge gaat even liggen.'

Ba-by-tjes-dok-ter? Hoe oud denkt mama eigenlijk dat ik ben? Maar natuurlijk ga ik mee. Ik ga een beetje alleen thuis blijven met Inge.

'Komt papa ook naar de vroedvrouw?' vraag ik.

'Nee, die komt pas laat thuis,' zegt mama. 'Hij heeft het druk, op zijn werk. Nou, kom op, anders komen we nog te laat.'

Zou haar zwangerschap betekenen dat ze met papa heeft gezoend? Of kun je ook seksen zónder zoenen? Ik wil het eigenlijk niet weten, geloof ik. We komen de meester onderweg niet tegen.

De vroedvrouwenpraktijk is niet in een ziekenhuis, zoals ik had verwacht, maar zomaar in een huis. Het is een gewoon huis met een gewone deur en een gewone bel, in een doodnormale staat. Dingen zijn lang niet altijd wat ze lijken.

(Wat zou Peper nu doen? Zou Farouk blij zijn met de brief? Wil meneer Prikov naar Rusland terug verhuizen? Slaapt Inge, wat doet papa precies, zou oma alweer hoesten?)

Mama drukt op de bel. De deur springt open. We lopen een gang door en komen aan het eind in een wachtkamer terecht. Er hangen geboortekaartjes aan de wand, er liggen tijdschriften over baby's, er staan een hoop stoelen en op al die stoelen zit een kind met zwarte haren. De grootste is Fatima.

'Hé Eva,' zegt ze verbaasd – ze is een van de weinigen uit de klas die me nooit Zout noemen. 'Hoi!'

'Hé. Ben je hier ook met je moeder?'

'Ja,' knikt ze. 'We zijn véél te vroeg, voor onze afspraak. Dit hier zijn allemaal broers en zusjes van me. Sta eens op, Khalid, kan die mevrouw zitten.'

Mama lacht, naar het jongetje en naar haar. Ze vraagt aan Fatima of zij nou Fatima is, die samen met Eva de beste van de klas is. Ze wil weten waar ze woont en hoe al haar zusjes en broertjes heten. Of ze het leuk vindt op school. Of ze ook een huisdier heeft en hoe de kapperszaak van haar vader precies heet. Of haar moeder daar ook in werkt. Ze is zo nieuwsgierig, mijn moeder, ik schaam me een beetje voor haar...

Maar Fatima vindt het wel gezellig, geloof ik. Op school zegt ze nooit veel, nu heeft ze plotseling van alles te vertellen. Intussen veegt ze neuzen af alsof ze nooit iets anders doet – waarschijnlijk doet ze ook nooit iets anders. Als een van haar broertjes van een stoel valt en begint te brullen, praat ze gewoon verder. Ik leun tegen de muur en kijk toe hoe mama en Fatima praten. Ik zou er net zo goed niet kunnen zijn.

Vanaf de gang klinkt het geluid van een doortrekker. Even later komt er een buik binnen, een buik met een klein mevrouwtje eraan. Ze heeft dezelfde ogen als Fatima. Ze lacht naar me. 'Ben jij soms Eva? Uit de klas van Fatima? Wat heb je mooi haar.'

Er klinkt een zoemer. Mama is aan de beurt. We staan op.

'Kom je een keertje spelen, Fatima?' zegt mama nog. 'Dat zouden we heel leuk vinden, hè Eva.'

De vroedvrouw zit aan een bureau. Ze draagt geen witte jas en lijkt niet op een dokter, het is net een meisje, met een rokje, beenwarmers en een paardenstaart. Op haar onderlip zit een korstje.

'Zo, ga zitten,' zegt ze en geeft ons een hand, 'ik ben Barbara. Met drie a's. Eens even kijken. Hoe lang ben je nu in verwachting Charlotte, Charlotte was het toch? En de hoeveelste zwangerschap is het voor je?'

'Mijn tweede,' zegt mama. 'De vorige was eh, bijna elf jaar geleden, van Eva hier. Ik had nooit gedacht dat we nu nog... Na al die tijd. Mijn man moet nog erg aan de gedachte wennen. Ik ben intussen ongeveer tien weken in verwachting, geloof ik, maar ik ben al erg fors geworden.'

'We zullen eens kijken.'

Mama moet op een tafel gaan liggen met haar buik bloot. Er is veel meer buik dan ik gedacht had. 'Mooi,' vindt Barbara de vroedvrouw. 'Nu eens kijken of het hartje al te horen is. We gaan die baby eens even afluisteren.'

Ze smeert glibberig blauw spul uit een potje op mama's buik en pakt een soort microfoontje van de muur. Het zit met een krullend snoer vast aan een apparaat dat daar hangt. Er komen reutelende, zoevende en suizende geluiden uit het microfoontje, als de vroedvrouw het heen en weer over de buik beweegt. Poef, poef, poef, klinkt er dof doorheen.

'Dat is het hart van je moeder zélf,' zegt Barbara tegen mij. 'Nog even verder zoeken.'

Ze schuift het microfoontje over de zijkant van de bleke bal heen en weer. Het duurt lang. Ik vergeet zowat dat die bal bij mama hoort. Mama zegt helemaal niets, ze ligt daar maar en kijkt met grote open ogen naar het plafond. Ik pak haar hand.

Ineens klinkt er een scherp getoffel, als de pootjes van Mimauw op de trap. De vroedvrouw luistert. Dan fronst ze haar wenkbrauwen. Ze laat de micro-

foon de bal oversteken. Weer dat getoffel! Ze glimlacht.

    'Gefeliciteerd,' zegt ze. 'Dubbel en dwars.'

Twintig – *dvadtsat*

Ik heb een nieuwe sluippas, die nog geluk brengt ook. Vast en zeker. Vier hupjes vooruit, één hupje terug, vijf hupjes vooruit, twee terug, en zo verder. Op mijn nieuwe schoenen met blauwe panters opzij (en gele zolen) gaat het prima. De schoenen zijn een cadeau van mama, om de tweeling te vieren.

Ze was zó opgelucht, toen we bij de vroedvrouw vandaan kwamen, en zó blij. Ze bleef maar zeggen hoe graag ze al die jaren nog een kindje wilde, dat het maar niet kwam, hoe moeilijk dat was, dat ze aan zichzelf ging twijfelen... 'En ik dan?' vroeg ik. 'Ik was er toch?'

Mama bleef staan. Ze keek me aan, pakte me vast en zoende me, klits-klats, midden op straat, en nog eens, dat het klapte. 'Eva,' zei ze toen, 'Wat zullen we eens voor je gaan kopen?'

Dúúr dat ze waren, de schoenen, en móói. Ik loop verend, en zo stil als een poes.

Ik ben op weg naar school; het is ochtend. Als ik bij de hoek van de Kruislaan kom, zie ik mevrouw Post voor het raam staan. Ze heeft een oranje gieter in haar hand. Meneer Post leest op de bank de krant. Rocky zit bij hem op schoot. Voor ik het weet klop ik op het raam en zwaai. Ze kijken alle drie verbaasd op, dan wuiven ze terug.

'Eva, wat fijn dat je er bent,' zegt de meester zodra ik de klas in kom, 'kun jij na schooltijd even op mijn kamer komen?'

Zie je nou! Vandaag komt alles goed, ik weet het zeker.

'Hé,' zeg ik als Peper naast me schuift, 'ben je nog... Kijk.'

Ik steek een voet omhoog. Peper zegt niets.

'Dezelfde als jij,' zeg ik.

'Ja,' zegt ze. 'Na-aper.'

Ze draait zich van me af en pakt haar taalschrift. Ik steek snel mijn schoen onder tafel, die stomme schitterende schoen, en slik en slik en buig me over mijn eigen schrift. Ik doe alsof ik iets doe, maar ik heb alle opgaven allang af. Peper steekt haar vinger op.

'Ja?' zegt de meester. 'Is er iets?'

Peper staat op.

'Ik wou even wat zeggen tegen iedereen. Ik... ik wil voortaan liever geen Peper meer worden genoemd. Ik ben Eva. Dat wou ik zeggen.'

Ze kijkt me niet aan. Als zij Eva al is, wie ben ik dan?

De meester staat in de deuropening van zijn kamer op me te wachten.

'Kom binnen. Ik heb wat voor je. Voor jullie. Is Fatima er nog niet?'

Fatima? Het lijkt wel alsof ze me achtervolgt. Ik ga de kamer van de meester binnen. Het ruikt er naar schriften. De verwarming suist. Op het bureau ligt een hoop papier.

'Mag ik hier gaan zitten?' vraagt de stem van Fatima achter me. 'Mooie schoenen, zeg, Eva.'

De meester doet de deur dicht. Hij draait zich om en knipoogt naar ons.

'Welkom. Jullie zijn hier omdat jullie allebei het taalboek uit hebben. En het rekenboek bijna. Nu al, en het is nog niets eens kerst! Eerst dacht ik: nou ja, dan gaan die twee vast door met de stof voor de brugklas, maar dan raken jullie zover vooruit, dus kreeg ik een ander idee. Ik heb jullie ouders al om toestemming gevraagd en... Waar heb ik het nou? Waar zit ik toch altijd met mijn hoofd, wacht even, aha, hier. Kunnen jullie noten lezen?'

Ik knik.

'Dan kun jij dat wel aan Fatima leren, Eva. Alsjeblieft.'

Hij steekt ons een boekje toe. Ik pak het gauw aan. Op het omslag staat een geblokte krokodil met een glas wijn in zijn klauw. Erboven staat een rijtje onbegrijpelijke tekens. Iets in het Russisch!

'Dat is Russisch,' zegt de meester. 'Het is een muziekboekje, een boekje met kinderliedjes. Kijk, ik heb het alfabet voorin gezet. Onder de regels heb ik geschreven hoe je het uit moet spreken, en hier achterin staat de vertaling.'

Een boekje. Uit Rusland. Voor mij, nou ja, voor ons. Ik sla het boekje open. Op het schutblad staat met ballpoint nog meer Russisch, en eronder, in krullende letters: *Voor Sacha, mijn jongen, mijn droomkoninkje.*

'Wie is Sacha?' vraagt Fatima.

'Sasja. Met een sj, niet met een g. Ik,' zei meneer Prikov. 'Ik ben Sacha. Ik kreeg dat boekje als kind van mijn opa. Eigenlijk heet ik Alexander, maar ze noemden me Sacha. Willen jullie wel Russisch leren? Tellen in het Russisch kunnen jullie al een beetje, toch?'

'Adin, dva, tri,' zeggen Fatima en ik in koor, 'tsjetyre, pjat.'

We kijken elkaar verbaasd aan. De meester moet erom lachen.

Op de gang blijven we nog wat in het boekje staan bladeren. Ik kijk naar Fatima's dropjesogen, naar haar zwarte vlecht.

'Hé,' zeg ik, 'ga je mee naar mijn huis? Kunnen we het daar samen verder bekijken.'

'Ik zou wel willen,' zegt ze, 'maar ik moet naar huis. Misschien kun je een keer bij mij komen? Ik woon in de Pekstraat. Nummer 12, boven de kapper. Neem jij het nu maar mee, dan krijg ik het morgen wel van je.'

Zij loopt de trap af en ik blijf nog even staan, met het boek, het boek van de meester, Sacha's boek. *Pa oelitse chadila*, lees ik. *Balsjaja krakadila*. Er liep eens een krokodillin over straat. *Ni mozjet bjes vina*. Die dronk alleen maar wijn. Wat een tovertaal. Zelfs verzonnen flauwekul klinkt prachtig. Achterin het boekje staat een stempel: *A. P. Prikov. Goedestraat 85*.

Eenentwintig – *dvadtsat-adin*

Het is woensdag. Het is weer woensdag, en het is pauze. In mijn tas zit een hamburger, Pepers lievelingseten, die heb ik vanochtend vroeg speciaal voor haar gekocht bij McDonald's. Warm is hij niet meer, maar dat geeft niet zo. Ik heb iets bedacht. Iets waar ze om zal moeten lachen, iets waarvan ze nieuwsgierig zal worden. Eerst tel ik in het Russisch langzaam tot twintig, dan loop ik op haar af.

Peper staat met Farouk, met Robine, met Glenn en Hamid bij het klimrek. Het groepje wijkt uiteen als ze mij aan zien komen. Ik kijk Peper aan en zij mij. Ik lach voorzichtig naar haar.

'Pa oelitse chadila?'

'Huh?' zegt Peper.

'Pa oelitse chadila?'

'Watte?'

'Ana, ana, ni mozjet bjes vina...'

Pepers ogen gaan wijd open.

'Boelotsjka?'

Peper zegt nog steeds niets, maar de anderen beginnen te grinniken. Ik doe alsof ik het niet hoor.

'Boelotsjka,' zeg ik nog eens. 'Naprotiv?'

Ik wijs op mijn tas, dan op de overkant. Er komt een lachje aankruipen, op Pepers gezicht, ik zie het aan haar mondhoeken en in haar ogen. Het is een lachje dat ik ken, een lachje speciaal voor mij. Begrijpt ze dat ik Russisch spreek? *Boelotsjka* betekent 'broodje'. *Naprotiv* betekent 'aan de overkant'.

Ik zal het je leren, denk ik, hoor je me, Eva Peper, ik zal je Russisch leren, een geheime taal voor in het geheime hol, voor ons samen, ik zal echt proberen om normaal te doen voortaan, en niet kinderachtig, ik heb hier een hamburger voor je... Maar Peper draait haar hoofd weg. Ze kijkt naar Farouk. Naar Robine, Glenn en Hamid. Van het lachje blijft niets over.

'Wat mankeert jou nou weer?' zegt ze dan.

'Ja,' zegt Robine, 'waar slaat dat op.'

'Die is gek,' zegt Hamid.

'Compleet gestoord,' vindt Glenn.

'Echt wel,' zegt Farouk, 'die rooie spoort niet, dat zeg ik toch altijd al. Kom, Eva.'

Hij pakt Peper bij haar arm en trekt haar mee, van mij weg. Peper laat het gebeuren. Nog eenmaal kijkt ze om.

'Ja,' zegt ze. 'Je bent echt wel gek, Eva. Sorry, maar ik heb er geen zin meer in. Begrijp je dat nou nog niet?'

De meester bonst op de deur.

'Eva? Zit je hier? Wat doe je? Waarom kom je niet in de les? Is er iets gebeurd?'

Ik draai aan het slot. De deur zwaait open. Ik zit met mijn broek aan op de wc. De meester steekt zijn hoofd om de hoek.

'Meisje,' zegt hij. 'Meisje, meisje toch. Wat is er?'

Hij zakt op zijn hurken en slaat zomaar zijn armen om me heen. Zijn grote lijf is warm tegen het mijne. Ik moet keihard huilen, ik kan niets zeggen.

'Er is iets met Eva Peper denk ik, meester,' hoor ik opeens Fatima's stem zeggen. Ik wist niet dat zij er ook was, hier in de school-wc. 'En met Farouk en Robine en zo... Ze pesten haar.'

'Is dat zo?' vraagt de meester. 'Is het waar, wat Fatima zegt, Eva?'

Hij duwt me een beetje van zich af. Ik kijk naar het reepje tegels tussen onze schoenen.

'Ik wil toch maar liever geen Russisch leren,' piep ik, 'Ik ben liever gewoon normaal, kan dat?'

Het is even stil.

'Nee,' zegt meneer Prikov dan. Hij schudt zijn hoofd. 'Nee. Dat lijkt me niet.'

De meester sleurt me zowat over de gang, Fatima draaft achter ons aan. In de klas is het een zooi, maar als wij binnenkomen gaat iedereen op zijn plek zitten. Het wordt heel stil.

'Koppen dicht,' zegt de meester en niemand lacht, al was het al stil. 'Troep van tafel. Vandaag gaan we het eens hebben over vroeger. Ga zitten Eva, Fatima. Goed. Er was eens, lang geleden, een man die dacht dat het een goed idee was als iedereen hetzelfde was. Dit is geen sprookje. Dit is echt gebeurd, in Rusland.'

Farouk lacht, maar hij is de enige.

'Die man dacht dat alles beter zou gaan als iedereen hetzelfde at, hetzelfde verdiende, hetzelfde dacht,

dezelfde kleren droeg. Dat klinkt eerlijk. Ja, ja. Maar
dat was het niet. Er was van alles wat niet meer mocht,
toen die man de baas van Rusland was geworden. Je
kon bijvoorbeeld niet op straat zomaar een liedje zingen. Je mocht geen gekke hoed hebben, en een gekke
gedachte al helemaal niet. Je moest normaal zijn. Zoals iedereen, niet slimmer, niet dommer, niet mooier
of lelijker. Maar kijk eens om je heen. Jullie zijn allemaal verschillend en...'

Peper steekt haar vinger op.

'Eva?'

'Wat gebeurde er met je als je toch anders was?'

'Dan moest je naar de gevangenis, naar een strafkamp in Siberië, waar het altijd koud is. Je moest er
werken, zonder dat je genoeg te eten kreeg. Tot je erbij neerviel. En je werd geslagen. Maar het ergste
was, voor de mensen die daar belandden, dat ze niet
wisten voor hoe lang het was. Het kon jaren duren.
Vaak mochten ze helemaal niet meer naar huis, of ze
werden voortijdig gek.'

'Konden ze dan niet weglopen?' vraagt Joachim.

De meester kijkt alsof er een punaise in zijn vel ge-
drukt wordt.

'Als ze je op een vluchtpoging betrapten werd je
nog meer gemarteld. En daarna misschien zelfs wel
doodgeschoten. Waar kon je trouwens heen? In Siberië is niets. Alleen maar bos, alleen maar grauwig-
heid. Het is het einde van de wereld.'

Het blijft even stil.

'De baas van Rusland had zich vergist,' zegt meneer Prikov dan. 'Er zijn altijd mensen die het lef hebben om af te wijken, die liedjes blijven maken. Ook als het niet mag. Juist als het niet mag. Ik zal zo'n liedje voor jullie zingen. Het reisde met mijn grootvader van het einde van de wereld naar hier. Het heet *Tétsjot retsjinka*, dat betekent: het riviertje stroomt. In Rusland willen ze het liever niet meer horen, dit liedje. Het herinnert aan de hel, zeggen de mensen.'

De meester pakt zijn accordeon en zingt, eerst zacht, dan met harde uithalen. Het lied gloeit en schraapt, soms klinkt het verbaasd en dan weer geschrokken, maar het is steeds verdrietig. Er wordt niet geklapt als het uit is.

'Ik zal het nog eens spelen,' zegt de meester. 'Luister goed. Vergeet het niet.'

(Als ik de baas was, de baas van de wereld, zou ik dan ook een strafkamp nemen? Zonder martelen dan, en zonder doodmaken... maar met opsluiten? Misschien wel, denk ik. Op Wadsoog of zo. Ik weet wel wat mensen die erin kunnen...)

Eindelijk is de schooldag voorbij. Ik loop in mijn eentje naar huis, op een schoen en op een sok. De andere schoen ligt in het slootje bij school; Farouk kan goed mikken. Er zit lijm in mijn haar. Ik zet mijn ene voet voor de andere, let nergens op. Ik kom bij de brug. Halverwege staan twee mensen tegen de reling. Ze zoenen. Het zijn mijn vader en Inge. Het zijn mijn vader en Inge. Ze zoenen.

Tweeëntwintig – *dvadtsat-dva*

Nou, ik ben weg. Niet zomaar weg, het weg van mijn moeder die 'Joehoei, ik ben weg' roept en voor ik het weet weer voor mijn neus staat, een prei in haar tas, nee, echt weg. Op weg. Naar ver weg. Ze zoeken het maar uit allemaal, ik ga, zo meteen. Maar eerst nog even naar binnen... De voordeur slaat dreunend achter me dicht.

Ik weet het zeker. Ik hang mijn jas niet eens op, ik houd hem aan. Ik pak even mijn tas en ik vertrek. Ik kom nooit meer terug. Echt niet. Ik heb genoeg van alle geheimen hier. Rotgeheimen. Rotzooi. Die rotschoen gooi ik weg, in de vuilnisbak ermee, ik trek mijn oude wel aan.

Op de keukentafel ligt een briefje. Mama is naar het ziekenhuis, staat erop, met oma mee, mooi, helemaal niet mooi, nou ja, ik klos de trap op naar mijn kamer. De gordijnen zijn er dicht. Op mijn onopgemaakte bed ligt Inge's nachtpon. Het voeteneinde van het bed is leeg. Ik pak een schaar en knip de stinkpon in reepjes. Daarna spuug ik in de toilettas die open op de wastafel staat.

Zo. Wat moet er mee? Ik trek mijn klerenkast open en staar naar mijn kleren. Sommige hangen, andere liggen in een prop op de plank. De kamer wordt wazig. Ik bijt op mijn lip. Ik moet niet nadenken, ik moet dóen. Ik draai mijn vuisten in mijn ogen, slik en schraap mijn keel, rochel en vloek erger dan ik ooit gevloekt heb. Dat helpt een beetje.

Ik trek alles uit de kast. Ik prop de kleren in een tas, de paarse weekendtas met de viltstiftvlekken, keer ook mijn sokkenmand erin om en zoek daarna, beneden in de keukenla, het zakmes op dat papa tijdens picknicks en vakanties gebruikt om appeltjes te schillen. Ik pak alle blikken kattenvoer die we nog hebben uit de kelderkast – maar waar is Mimauw toch?

Op zolder vind ik behalve de slaapzak en het kampeermatje waarop ik toch al sliep de thermosfles, de zaklantaarn en gelukkig ook het poezenmandje. Niet nadenken. Niet nadenken. Opschieten nu.

Ik loop de trap weer af en ga de slaapkamer van mijn ouders binnen. Ik doe mama's deur van de klerenkast open. Al haar kleren vallen op de grond. Uit de stapel steekt een gebloemd lintje. Ik trek een zomerjurk tevoorschijn, de margrietenjurk die ik een keer gepast heb toen Peper er nog was. Ik frommel hem tot een prop onder mijn oksel. De rest laat ik liggen. Nu nog een pyjama...

'Wat doe jij nou? Ik wist niet eens dat je thuis was. Weet jij waar papa uithangt? En Inge?'

Mama staat halverwege de trap. Ik krijg het warm, warmer, heter, heetst. Ik weet niet zeker of ik wel kan praten.

'Nee,' pers ik tevoorschijn. 'Geen idee. Was je bij oma?'

Mama knikt.

'Het gaat niet zo goed met haar. De dokter snapt er niets van. Ze moet blijven, voorlopig, in het ziekenhuis. We zullen het beste er maar van hopen. Wat moet je met mijn jurk?'

'Niets,' zeg ik. 'Verkleden. Ik speel... vakantietje.'

Ze kijkt mijn kamer in. 'Heb je daar de kattenmand bij nodig? En al die andere spullen?'

Ik knik.

'Ruim je straks alles zelf wel weer op?'

Ik knik weer.

'Mam?' Mijn stem is van dikke stroop. 'Vanavond eet en slaap ik bij Peper, goed?'

'Ja hoor,' zegt ze. 'Ik ga nu even naar de Vomar. Zie ik je dan nog wel? Ja? Tot zo.'

Ik zeg niets terug. Even later vind ik Mimauw in de wasmand.

Ik sluip de trap af met de bultige zware tas, een herenparaplu en de kattenmand in mijn handen. Mimauw houdt zich gelukkig stil. De trap heeft meer treden dan anders, lijkt het wel. Eindelijk ben ik beneden in de gang. De deur naar de kamer staat op een kier. Mijn vader is thuisgekomen. Hij zit aan tafel achter de computer. Hij neemt een slok uit een beker en staart naar het scherm. Hij is alleen en kijkt niet op of om.

Ik hijs de weekendtas als een rugzak op mijn rug, met mijn armen door de hengsels, en loop op mijn tenen door de gang naar de deur. Het komt goed uit dat ik zoveel geoefend heb met sluipen... Voorzichtig duw ik de voordeur open. Ik stap over de drempel.

Onder het raam leunt mijn fiets tegen de gevel. Heel zacht sluit ik de deur en hurk neer. Ik schuif de kattenmand en de tas naar voren en kruip erachteraan. Mijn handen trillen zo dat ik het slot van mijn fiets bijna niet open krijg. Ik kijk nog eenmaal voorzichtig over de vensterbank heen naar binnen. Een man in een kamer. Daar is niets geheimzinnigs aan, zou je denken.

Met een hand op het zadel en de ander zo goed en zo kwaad als het gaat aan het stuur duw ik de fiets van het huis weg. Ik klap met mijn hand de standaard in en kom langzaam overeind. Ineens geeft Mimauw een brul. Snel trek ik de mand naar me toe en stap op. Ik slinger de straat uit. Ik kijk niet om. Ik moet verder nu, niet terug.

Drieëntwintig – *dvadtsat-tri*

Hier fietst Eva, denk ik. De enige Eva. De echte Eva. Daar ga ik dan. Ik ga op mijn pedalen staan en zwenk van de stoep af de straat op, de mand slingert aan mijn stuur. Rond en rond gaan mijn voeten.

Eerst fiets ik langs school, voor het laatst zie ik de school, maar natuurlijk zijn de lichten uit, is het plein leeg, zit de deur op slot alsof er hier nooit iets gebeurt. Ik blijf even staan kijken, maar dan is er wild geblaf. Scherpe pootjes springen tegen mijn benen. Mimauw in de mand sist en snerpt, geluiden die ik hem nooit eerder heb horen maken. Meneer Post komt op een drafje aangelopen, hij grijpt Rocky bij zijn nekvel en trekt hem weg.

'Sorry meisje,' zegt hij, 'is alles goed met je? Mijn hond verdraagt geen katten – ik neem aan dat je een kat hebt, daar in die mand? Stil toch Rock, foei. Af.'

'Tot ziens, meneer Post,' zeg ik. 'De groeten aan uw vrouw.'

Hij kijkt me verbaasd aan.

Als ik bij de brug ben maakt mijn voorwiel als vanzelf een bocht. De brug is nu op wat auto's na leeg. Ik tel de spijlen niet. Langs de kade zitten een paar eenden, hun kop verstopt onder hun vleugel. Ik sjees de brug over, het park in. Een paar mevrouwen die arm in arm wandelen roepen me na dat ik niet op de paden mag fietsen, maar ik stop niet, ik doe alsof ik ze niet hoor. Ik schamp rakelings langs een moeder met een kinderwagen. Mimauw jammert zachtjes.

'Hé Zout, ben jij het? Pas op!'

Ik kan nog net op tijd remmen. Sarah, de grote zus van Peper, pakt met beide handen mijn stuur beet, waardoor ik net niet val.

'Wat doe jij hier nou? Ik schrik me dood,' zegt ze. 'Zit er een echt beest in die mand?'

Ze bukt zich en kijkt door het tralieraampje Mimauw recht in zijn ogen. Ik mompel wat.

'Ben je op weg naar ons? Mijn zusje is niet thuis, hoor. Moet ik haar even voor je bellen?'

'Nee,' zeg ik. 'Alsjeblieft niet. Dag.'

'Doei,' zegt Sarah en laat mijn stuur los. Ik laat haar staan en loop rond de vijver, het laatste eindje. Daar zijn de struiken al, met hun donkergroene prikblaadjes. Ik ben van plan om in het hol te gaan zitten tot het donker is. Zouden ze thuis al gemerkt hebben dat ik weg ben?

Ik zet mijn fiets tegen het bankje en laat de mand met Mimauw op de grond zakken. Ik wil onder de struiken kruipen, maar dan hoor ik iets. Er klinkt gefluister, gelach... Ik sta stil op het pad alsof ik aan de grond ben vastgespijkerd. Het geluid komt uit het hol, uit het hol dat geheim was, van ons alleen, van mij en Peper. Ik hoor de stem van Robine: 'Er staat iemand te spioneren, daar, bij het bankje.'

'Wat,' roept Farouk. 'Godver, waar, wie?'

'Het is Zout maar,' zegt Peper.

Verraad, verrader, verraadst. Haar gezicht verschijnt tussen de takken. Ze zegt iets tegen me. Ik luister niet. Ik draai me om.

Met mijn fiets tussen mijn benen en de mand op het stuur hobbel ik weg zo snel ik kan. De trapper schampt mijn enkel, ik val bijna, maar ik stop niet. Aan het eind van het pad lukt het me om me in het zadel te hijsen. Ik begin te trappen, als een dolle over het hobbelige gras, de lucht suist langs mijn oren, Mimauw blèrt. Wat nu?

Een volle straat is het, met winkels onderin de hoge huizen. Er staan bakken met fruit, fietsen, kindertjes op de stoep. Aan de balkons hoog boven mijn hoofd zijn schotels geschroefd. Ik ben hier nog nooit geweest. Welk nummer moet ik hebben?

Daar staat het, op een raam geschilderd: *Bouali, voor al uw haarwensen.* In het portiek zit naast de ingang van de kapperszaak nog een deur, een deur met vijf bellen ernaast. Ik druk op de onderste. Er gebeurt niets. Ik druk op de tweede. Er gebeurt weer niets. Ik druk op de derde, de vierde en de bovenste. Mijn hart stampt.

'Eva?' klinkt het verbaasd.

Fatima staat achter me met een kinderwagen waar een boodschappentas aan hangt. Er steekt een prei uit. Ze heeft ook nog twee zusjes bij zich. De meisjes klampen zich vast aan haar broekspijpen en kijken me met grote zwarte ogen aan.

'Ik riep je,' zegt Fatima, 'ik dacht al dat jij het was.

Hoorde je me niet? Is dat een kat? Gaat het wel?'

'Nee, ja,' zei ik. 'Ik weet het niet. Hij heet Mimauw.'

'Kom je even boven?'

Fatima doet de deur open en trekt het wiegje los van de kinderwagen. Ze klapt het onderstel van de wagen op en hangt het aan een haak boven de deur in de hal. We moeten een trap op en dan nog een trap. Onderweg gaat het licht telkens uit. Uiteindelijk staan we voor een deur.

'Hier is het. Wacht, even mijn sleutel zoeken.'

Achter de deur is een halletje, dat vol staat met schoenen. Fatima zet het wiegje van de kinderwagen op de grond. Ze begint de armpjes van haar zusjes uit hun jassen te wurmen. Ik zet mijn tas en de kattenmand neer en doe mijn jas en mijn schoenen uit. Ik zet de paraplu in mijn linkerschoen. We gaan de kamer in. Overal zitten kleine kinderen met knijperige handjes en nattige smoeltjes, aan tafel, op de lange bank, op het vloerkleed. Fatima wijst ze één voor één aan.

'Ibrahim, is alles goed gegaan toen ik weg was, Ibrahim? Ja? Goed zo. Dan is dat daar Noor, en Khalid, met Rachid en Mo, en onder tafel, die dikke, Haaf, en dan is er nog Leila. Die nu aan je been hangt. Zet die kat maar even neer, hoor. Daar ja.'

Een sponzig klein meisje wil tegen mijn benen op klauteren, al kan ze nog maar nauwelijks staan. Ik heb geen idee wat ik moet doen.

'Pak haar maar even op,' zegt Fatima.

Ik til het meisje op. Ze grijpt in mijn haren en drukt iets – een nat stukje brood – tegen mijn lippen. Ik draai mijn hoofd weg, maar het knuistje volgt mijn mond. Fatima lacht.

'Ze vindt je lief, ze wil je voeren. Niet doen, Leila, Eva heeft geen honger. Eet dat zelf maar op. Nee. Nee. Nee is nee. Kom dan maar hier. Stouterd.'

Ze pakt haar zusje van me aan en zwiert haar door de lucht, maar Leila begint te huilen en strekt haar armpjes uit naar mij. Er komt steeds meer geluid uit. Een paar andere kinderen kijken op, lijken even na te denken en beginnen dan mee te brullen.

'Sorry,' lees ik van Fatima's lippen.

Zelf trekt ze zich niets van het gebrul aan. Ze beweegt zich snel door de kamer, heel anders dan ik van haar gewend ben. Hier veegt ze een neus af en daar trekt ze een jurkje recht, ze haalt wel tien pakjes appelsap uit een kast en deelt ze rond, schudt koekjes op een schaaltje, snuit alweer een andere neus en veegt iets van de grond.

De deur zwaait open. Fatima's moeder kijkt even verbaasd naar mij. Dan lacht ze en bukt zich naar de kinderen die om haar heen krioelen. Ze geeft ze allemaal een kus en aait over hun haren. Het wordt min of meer stil.

'Jij bent Eva,' zegt Fatima's moeder. 'Het is leuk om jou weer te zien. Zijn dat jouw spullen? Zit er echt een dier in dat mandje? Niet aanzitten, Khalid. Wacht. Ik zet het even op de kast. Zo. Hoe is het met jouw moeder? Goed? Jullie mogen wel even naar boven, Fatima, neem de koekjes maar mee.'

We lopen alweer een trap op. Fatima kijkt om.

'Wat heb je nou eigenlijk allemaal bij je?' vraagt ze. 'Wat zat er in die tas?'

'Eh, schone was,' zeg ik maar.

'En Mauwmauw?'

'Mimauw. Die moest naar de dierenarts... Nee, dat is eigenlijk niet waar. Sorry, maar ik, ik heb... het is geheim, oké?'

'Goed.'

Fatima loopt verder zonder nog iets te vragen. Ze slaapt op zolder. Het is er erg vol, overal staan bedden. Het ruikt er heel erg naar kleine kinderen. Fatima lacht om mijn gezicht.

'Er zit een gordijn tussen de bedden, hoor. Kijk, zo. Ik doe het dicht als mijn zusjes gaan slapen, ik ga zelf pas later naar bed natuurlijk. 's Ochtends hoor ik ze lachen, dan steek ik mijn hand onder het gordijn door en zwaai... Ik wil je iets laten zien. Het is geheim, maar jij mag het zien. Alleen jij.'

Het schrift is dik en groen. Ik pak het aan en sla het zomaar middenin ergens open. Ik zie een strip: twee meisjes zweven hand in hand boven een rij huizen. De ene heeft een zwarte vlecht achter zich aan wapperen. De andere heeft kolkend rood haar.

Ik voel aan mijn hoofd.

'Hé Fatima,' zeg ik, 'Je vader is toch kapper?'

Vierentwintig – *dvadtsat-tsjetyre*

Ik moet mijn haar meenemen, van Fatima's vader, hij staat erop.

'Zo zonde,' zegt hij, 'zo zonde.'

Hij veegt alles bij elkaar, Fatima schept het in een plastic zakje. Dan trek ik mijn jas aan, pak mijn spullen en stap naar buiten. Zij blijven op de drempel van de winkel staan. De wind is koel langs mijn oren. Mijn hoofd voelt vreemd licht.

'Bedankt,' zeg ik. Ik prop het zakje met haar in mijn jaszak. 'Het eten was erg lekker. Ikke... ik ga nu. Dag!'

'Tot gauw hoop ik, Eva,' zegt Fatima die ook beneden is gekomen. 'Wacht, ik houd je fiets wel even vast.'

Ze heeft een frons tussen haar wenkbrauwen.

'Doe je moeder mijn groeten,' roept haar moeder nog, als ik wegfiets. De hele familie zwaait me uit. Ik zwabber de hoek om en kom op een plein. Het is het plein waar Farouk woont. Er voetballen jongens. Ze roepen dingen naar me, geloof ik. Ik trap stevig door.

Mimauw piept in zijn mandje. Het komt goed, zeg ik in gedachten tegen hem, het komt goed, hoe dan ook... Nog even volhouden, we zijn er bijna. Maar eerst gaan we nog heel even langs oma. Om dag te zeggen, al was het maar tegen haar huis.

Er is niemand thuis, dat wist ik al, en toch schrik ik als ik zie dat de gordijnen van oma's huis open zijn. Bij alle andere huizen in de straat zijn de gordijnen dicht en brandt er licht achter. Ik zet mijn spullen op het muurtje van de voortuin, doe mijn fiets op slot en duw het hekje open. Wat een stil huis.

Ik loop op mijn tenen naar het raam. In het glas zie ik mezelf weerspiegeld, onherkenbaar zowat, net een jongen. Mijn ene jaszak staat bol. Ik trek het zakje met haar eruit en leg het zolang op oma's deurmat.

Mijn neus is koud, de ruit nog kouder. Het is tien over twee binnen in de kamer, zie ik. Op tafel staat een fruitschaal met één banaan. Zou het echt erg zijn, met oma? Ze hoort thuis te zijn als ik kom, met thee met te weinig suiker, met het fotoboek. Het is niet eerlijk. Niets is eerlijk.

Ik stap maar weer op mijn fiets. Pas als ik bijna ben waar ik wezen moet, merk ik dat ik mijn haar op de deurmat vergeten ben.

Ik sta aan het begin van de Goedestraat. Zo heet het hier echt: de goede straat. Op nummer vijfentachtig moet het zijn. Ik stap af. Mijn hart hamert in mijn keel, mijn kop suist. Ik ga de stoep op en begin langs de huizen te lopen. Mijn handen doen pijn van het knijpen in het stuur en van het vastklemmen van de poezenmand. Na een tijdje zet ik mijn fiets tegen een bloembak en ga op de rand zitten.

Hij heeft vast een open haard in de kamer, waarin een vuur brandt. Er hangt misschien wel een borrelende pan bietensoep boven. Op een plank boven de haard staat een houten poppetje met een poppetje in haar buik waarin dan weer een poppetje zit, met daarin nog een poppetje en daarin misschien wel nog een poppetje...

Ik en de meester. De meester en ik.

Hoe zou hij kijken? Wat zou hij zeggen?

Mimauw begint weer te jammeren. Ik hijs de mand op mijn schoot en sla mijn armen eromheen. Ik blaas zachtjes een liedje door het riet: *pa oelitse chadila, balsjaja krakadila*. Niet nadenken, niet bang zijn. We zijn weg. Alles komt goed; hoe dan ook.

Vijfentwintig – *dvadtsat-pjat*

De Goedestraat is niet aan de rand van een bos, zoals ik verwacht had. Er staan niet eens echte bomen, alleen hele dunne. De huizen zien eruit alsof ze net uit bad komen. Op een lantaarnpaal is een bordje geschroefd. *Woonerf*, staat erop. Eronder hangt een papier met een foto van een poes. *Poek is zoek*, staat er onder. *Vijftig euro beloning.*

Ik ben er bijna. Nummer vijfentachtig? *Naprotiv*; aan de overkant. Ik steek de straat over. Het huis lijkt als een tweelingbroer op alle andere huizen in de straat. De gordijnen zijn dicht. Er brandt wel licht achter. In een van de vensterbanken staat een wit geschilderde houten eend met een gele snavel en een blauw strikje om –zou dat iets Russisch zijn? In de andere ligt een bal.

De voordeur is van glas, maar het is van dat gele glas met rondjes, waar je niet doorheen kunt kijken. Ik probeer door de brievenbus te loeren, maar ook dat gaat niet. Er hangt een soort matje achter. Onder de bus zit een bordje geschroefd. *Prikov*, staat erop.

Ineens komt uit het buurhuis een herdershond gesprongen, even later gevolgd door een meneer die zijn riem vasthoudt. De hond blaft. Ik pak de mand met Mimauw op en druk voor ik het weet op de bel.

'Hallo? Kan ik iets voor je doen?'

In de deuropening staat de meester niet. Er staat wel een blonde vrouw met dikke wangen. Ze steekt haar hoofd naar buiten en kijkt langs me heen, naar links en naar rechts de straat af. Ze knikt naar de meneer van de hond – 'dag meneer Verkerk', zegt ze – en kijkt dan weer naar mij.

'Ben je je tong verloren? Kom je misschien voor kinderpostzegels? Of... O wacht, ik begrijp het al. Je komt voor Alex zeker, zit je bij hem in de klas? Ja? Is er iets aan de hand met je? Kom dan maar even binnen. Sorry als ik een beetje onaardig deed hoor, we zaten net voor de tv en ons... Wat heb je allemaal bij je? Wacht, ik help je.'

De vrouw pakt mijn tas. Ik klem de mand met Mimauw tegen mijn buik en loop, de paraplu als een lans onder mijn oksel, achter haar aan het huis binnen, de kamer in. Het is er warm. Er dansen vlammetjes achter een raampje in een kachel. Er is een tafel, er zijn stoelen, er is een tv en er staat een bank. Op de bank zit de meester. Hij heeft een joggingbroek aan en geen schoenen. Op zijn schoot zit een jongetje.

'Hé,' zegt meneer Prikov en knipt de tv uit. 'Eva? Wat doe jij hier? Waar kom jij nou zo ineens vandaan? Wat heb je met je haar gedaan? Zit daar een echt dier in?'

Het zou beter zijn nu niet te gaan huilen, denk ik nog.

'Hé... Kom eens hier? Zet die mand maar even neer. Kom zitten. Ga even lekker zitten, dan praten we zo meteen wel. Rustig maar. Weten je ouders dat

je hier bent? Doe je jas even uit. Zo ja. Kijk, dit is onze kleine baas, die wil niet slapen. Hè Pjotr, die wil
niet slapen. Nee, Pjotr wil niet slapen, die is toch zo
verkouden. Dag Pjotr, dag Pjotrke van papa, kleine
Petjoesja, lach eens naar Eva, vent.'

Het kindje kijkt naar me en begint te huilen. Zijn
moeder tilt hem van de schoot van haar man, stopt
haar neus even onder de krulhaartjes in zijn nekje,
maakt sussende geluidjes en loopt naar de kamerdeur. Op de drempel draait ze zich om.

'Ik stop hem weer in bed,' zegt ze. 'Hij is moe...
Geef dat meisje eens wat te drinken, Alex, vooruit.
Ze ziet er verhit uit. Ik ben trouwens Jannie, zeg maar
Jannie hoor. Ik ben zo terug.'

'Zo.' De meester legt een grote hand op mijn knie.
'Gaat het alweer een beetje?'

Ik hik, knik, slik en hij staat op. Hij loopt naar de
kachel en draait de vlammen lager.

'Net echt vuur, vind je niet?'

Ik knik stom.

'Is cola goed of heb je liever fristi? Of thee? Moet je
me daarna vertellen wat er aan de hand is... En ik zal
meteen je vader en moeder maar even bellen, die zijn
ongerust denk ik zo. Ja, Eva? Goed?'

'Liever geen fristi,' piep ik. Ik haal mijn neus op.
Het maakt per ongeluk een hoop geluid. Ik kijk naar
de meester, die een vader op sokken is. Alles is anders
dan ik dacht. Maar dan valt mijn oog op de koek-
trommel die op tafel staat. Het is dezelfde als die van
oma.

Zesentwintig – *dvadtsat-sjést*

De meester geeft me een glas, gaat naast me zitten en aait over mijn hoofd.

'Het lijkt nog wel roder je haar, zo kort,' zegt hij. 'Moet je nog steeds zo huilen? Ja? Een van mijn broers in Rusland heeft ook rood haar, maar lang niet zo vol en bijzonder van kleur als dat van jou, meer oranje.'

Ik heb de mand met Mimauw op schoot, mijn armen eromheen geslagen, het glas erbovenop, ik zit een beetje tegen de meester aan. Ik zucht eens diep en hoor hem geloof ik ineens een beetje lachen.

'Ik...' zeg ik dan eindelijk, 'ik ben weggelopen van huis, ik wou... Ik geloof dat ik... Ik weet het niet. Er was van alles: Peper wil niet meer met me omgaan, bijna iedereen pest me, mama krijgt een baby, en mijn vader is plotseling... Alles gaat anders dan ik wil dat het gaat. Het is een zooitje.'

Het is even stil.

'Alles verandert altijd, Eva,' zegt meneer Prikov dan, 'dat gaat vanzelf. Daar moet je aan wennen. Soms kun je kiezen, maar vaak ook niet. Dingen gebeuren gewoon. Laat de andere Eva nou maar barsten, o, dat hoor ik niet te zeggen, geloof ik. Maar er zijn nog andere leuke kinderen in de klas, hoor, die beter bij jou passen. Ik ben benieuwd hoe het verder-gaat straks, op de middelbare school... met jullie alle-maal. Jij ook?'

Ik haal mijn schouders op en dan vertel ik hem alles nog een keer, nu echt. Bijna alles. Ik zeg hem niet dat ik niet in mijn eentje weg wilde lopen... Alle mensen hebben zo hun geheimen, denk ik.

Meneer Prikov kijkt me aan alsof hij mijn gedachten kan lezen. Hij begrijpt alles, ook wat ik niet hardop zeg. Ik praat en praat maar door, nu ik eenmaal begonnen ben kan ik niet meer stoppen, en hij luistert. Dan pakt hij zijn accordeon. Hij speelt en zingt, alleen voor mij. Bij het liedje over de krokodil die wijn drinkt val ik in, eerst voorzichtig en daarna wat harder, zodat hij het horen kan: *Pa oelitse chadila, balsjaja krakadila... Ana, ana, ni mozjet bjes vina!*

Mijn moeder staat in de kamer. Ik heb geen bel gehoord.

'Eva,' zegt ze. 'Je haar.'

Dan komt ze naar me toe en slaat haar armen om me heen, met kattenmand en al.

Daar is mijn vader ook.

'Eva,' zegt hij alleen maar, 'Eva.'

Dit gebeurt echt, denk ik, ik kan het haast niet geloven. Het lijkt sprekend op iets wat ik verzinnen zou. We gaan om de tafel zitten, iedereen kijkt opgelucht en blij, Pjotr is er ook weer bij, met zijn moeder. Mimauw mag wel even uit zijn mandje, zegt mama, als de meester het goed vindt. Meneer Prikov knikt. Mimauw loopt een voorzichtig rondje door de kamer, ruikt overal aan en springt dan op mijn schoot, waar hij hoort. Hij is niet boos op me, hij spint. Ik drink cola en de grote mensen wodka, zelfs mijn moeder.

'Zo'n klein glaasje,' zegt ze, 'dat kan geen kwaad. Proost.'

Dan begint ze te praten. Ze rebbelt tegen de meester over wat niet al, spanningen thuis, ontwikkelingen in het afgelopen jaar, ik luister niet echt, de kamer gonst. Ik kijk mijn vader, die tegenover me zit, niet aan. Ineens staat hij op, loopt de tafel rond en legt een hand in mijn nek. Ik draai mijn hoofd en kijk hem aan. Hij kijkt naar mij. We zeggen niets. In zijn ogen zie ik twee kleine Evaatjes glimmen. 'Ze is weg,' zegt hij dan. 'En ze blijft weg. Ze komt er nooit meer in. Het was... een vergissing.'

'Echt?'

'Echt.'

Meneer Prikov knipoogt naar me. Mimauw springt van mijn schoot. Hij sluipt over het kleed en ruikt aan de accordeon. Jannie zet zomaar Pjotr op mijn schoot. Hij is warm en wriemelig en zacht. Ik vind hem niet zo lekker ruiken en geef hem gauw weer terug.

Mijn ouders staan op. Ze bedanken de meester en Jannie. Papa pakt mijn tas. Mama vangt Mimauw en geeft mij de kattenmand. Ik krijg een kus van de meester. En van zijn vrouw daarna ook. En van Pjotr een slijmwangetje dat een kus moet voorstellen.

'Wacht,' zegt meneer Prikov dan. 'Jullie kwamen natuurlijk met de taxi. Ik breng jullie wel even naar huis.'

Ik mag voorin. Mijn ouders zitten op de achterbank. Ze houden elkaars hand vast. Mijn fiets ligt in de achterbak. Ons huis is erg dichtbij.

'Wat wil jij later worden?' vraagt Fatima. 'Fotomodel?'

Met één hand rijdt ze de kinderwagen heen en weer. We hangen over de leuning van de brug en kijken een lang schip met zand na, dat onder ons door schuift. Het waait.

'Weet ik nog niet,' zeg ik met mijn hoofd bijna ondersteboven. 'Jij?'

'Dokter, denk ik. En moeder. En uitvinder, en striptekenaar.'

Het blijft even stil.

'Misschien,' zeg ik dan aarzelend, 'misschien koop ik wel zo'n boot. Dan maak ik er een varend strand van. Ik neem een ligstoel mee, en Mimauw natuurlijk, en de kattenbak. En een glijbaantje dat over de rand steekt. Kan ik overal zwemmen, kan ik overal heen... Ik neem natuurlijk wel een mobieltje mee.'

Fatima lacht. 'Goed plan. Mag ik mee?'

'Ja,' zeg ik. Maar niet doorvertellen, hoor. Het is geheim.'